Tout finit par un baiser !

Kate Klise

Tout finit
par un baiser !

*Traduit de l'anglais (américain)
par Dominique Kugler*

Albin Michel

Titre original :
IN THE BAG
(Première publication : William Morrow,
an imprint of HarperCollins Publishers, 2012)
© Kate Klise, 2012

Pour la traduction française :
© Éditions Albin Michel, 2014

Mesdames et messieurs, nous amorçons notre descente.

Veuillez vérifier que votre siège est en position verticale et votre tablette relevée. Assurez-vous que votre ceinture est bien attachée et que votre bagage à main se trouve sous le siège devant vous ou dans le compartiment au-dessus. Nous vous prions de garder tous vos appareils électroniques éteints jusqu'à l'arrêt complet de l'appareil.

Merci.

BOARDING PASS

FLYER NUMBER

DATE
APR16

DEPARTS
5:55PM

TIME
M

SEAT
13C

AmericanAirlines

BOARDING PASS
ANDREW NELSON

FROM:
Chicago - ORD
TO:
Paris - CDG

FLIGHT
42

SEAT
13C

DEPARTS
5:55PM

ARRIVES
9:10AM

DATE   CLASS
APR16   L

PASSPORT

United States
of America

DING PASS

AmericanAirlines

BOARDING PASS
DAISY M. SPRINKLE

FROM:
Chicago - ORD
TO:
Paris - CDG

FLIGHT
42

SEAT
6B

DEPARTS
5:55PM

ARRIVES
9:10AM

DATE   CLASS
APR16   P

DATE
APR16

DEPARTS
5:55PM

SEAT
6B

0PM

ELECTRONIC

Jour 1 : dimanche

Chère Madame 6B,

Je suis sincèrement désolé de vous avoir si maladroitement
bousculée en embarquant. Je me ferai un plaisir de vous
rembourser le nettoyage de votre chemisier ou de vous en acheter
un autre. Mais à vrai dire, je serais plus heureux encore si vous
me permettiez de vous inviter à dîner lorsque nous serons
rentrés l'un et l'autre outre-Atlantique. Si tant est que vous
ayez l'intention de retourner aux États-Unis. (Vous pourriez
très bien être parisienne. Vous en avez d'ailleurs l'allure.)

Aéroport
Paris-Charles de Gaulle

CocoChi@com

1

Webb

– Oh non, j'y crois pas !

Dès que j'ai ouvert la fermeture Éclair de mon sac de sport noir, j'ai compris qu'il y avait un problème. Ces fringues, bien rangées sur deux piles, n'étaient pas les miennes. Mais alors, pas du tout.

Des tee-shirts aux couleurs vives (taille S). Des jeans repassés. *(Il y a encore des gens qui repassent leurs jeans ?)* Une paire de tongs. Des sandales à talons. Une jupe. Une espèce de tunique style gitan. Des slips et des soutiens-gorge à fleurs.

– Oh, non, j'y crois pas ! ai-je grommelé, plus fort, cette fois.

– Qu'est-ce qui t'arrive ? Drapé dans le peignoir en éponge de l'hôtel, mon père sortait de la salle de bains en s'essorant les cheveux.

– C'est pas mes fringues.

– Comment ça ?

– Ce sac, c'est pas mon sac. J'ai dû prendre celui de quelqu'un d'autre, à l'aéroport.

– Oh, bon Dieu, Webb !

Chaque fois qu'il blasphémait comme ça, j'avais l'impression que mon prénom lui-même devenait un juron, du style : « Webb, alors ! ».

Une demi-heure plus tôt, nous étions arrivés à l'hôtel Palace, en plein centre de Madrid. Papa venait pour installer, dans un musée d'art contemporain, une exposition dont il avait conçu la mise en espace. L'inauguration était prévue pour dans deux jours, ce qui voulait dire qu'il bosserait tout le temps et que je pourrais passer mes vacances de printemps à me balader dans la ville. C'était pour ça, d'ailleurs, que j'avais emporté mes chaussures les plus confortables.

Et maintenant, j'avais quoi à me mettre ? Des sandales à talons, une tunique gitane et des soutiens-gorge.

– Qu'est-ce que je vais faire ? ai-je gémi, assis sur mon lit.

– Appeler la compagnie, a répondu mon père. Si ton sac de voyage est toujours à Paris, ils le mettront dans un avion et l'enverront ici. On peut leur demander de le faire, en tout cas. Il n'avait pas l'air convaincu.

– Et ça, c'est ton sac à dos ?

– Ouais, ai-je répondu en donnant un coup de pied dans le sac en nylon vert posé à mes pieds.

– Et ton autre sac, tu l'avais quand on est passés à la douane, à Paris ?

J'ai fait un effort pour me souvenir. J'avais dormi pendant presque tout le vol et j'étais à peine réveillé quand on avait passé la douane.

– Ils n'ont pas ouvert mes bagages, ça je m'en souviens, ai-je remarqué, en fouillant dans mon sac à dos à la recherche de mon portable. C'est alors que la mémoire m'est revenue.

12

– Oh, non !

– Quoi encore ? a lancé mon père.

– Je crois que j'ai oublié mon portable au lycée.

Nouveau soupir, plus prononcé, celui-là.

– Tu as gardé ton ticket de retrait des bagages, au moins ? Ou ta carte d'embarquement ?

J'ai vidé les poches de mon jean : papiers de chewing-gum, une pièce de dix cents, un Tic Tac tout poussiéreux.

– Je sais pas.

Avançant jusqu'à la chaise où il avait jeté sa veste, mon père a fouillé dans ses poches.

– Tiens.

Il brandissait une poignée de papiers.

– Au moins avec ça, on va savoir sur quels vols on était. American Airlines, vol 814 en correspondance avec le vol 42. Ensuite, Air France vol Paris-Madrid, numéro 1600.

– Mmh, mmh, ai-je marmonné.

– Et j'espère que tu l'avais étiqueté, ton sac, a continué mon père. Un silence, puis : Webb, dis-moi que ton sac portait une étiquette avec ton nom dessus.

– Ouais, ai-je dit d'un ton hésitant. Je crois. Ouais, je suis sûr que oui. Enfin presque...

– Oh, bon Dieu, Webb.

2

Coco

– Oh, merde !

– Qu'est-ce qui t'arrive ? m'a lancé maman, de la pièce voisine.

Elle m'avait gentiment proposé de prendre la chambre, mais je préférais de loin dormir sur le futon, dans le séjour. Je n'avais qu'à ouvrir les volets en bois pour voir Paris. *Paris !*

Ça faisait des mois que j'attendais ce moment. À Noël, maman m'avait offert un sac de voyage noir L.L. Bean, genre sac marin, avec, en prime, plusieurs guides de Paris. J'avais passé presque tout le vol, depuis Chicago, à noter tout ce que je voulais voir pendant ces vacances de printemps.

Et maintenant, je n'avais plus qu'une envie : me suicider.

– Merde ! ai-je répété.

– Tu sais que je déteste ce mot, m'a dit maman en parcourant la courte distance qui séparait la chambre à coucher du séjour, dans le petit appartement qu'on nous avait prêté, rue des Trois-Frères.

– Oui, eh bien moi je me déteste, ai-je répliqué en me laissant tomber sur le futon.

14

– Mais qu'est-ce qu'il y a, à la fin ? a insisté maman.

Un seul regard à l'infâme tas de fringues qui gisait par terre a répondu à sa question. Au lieu des vêtements que j'avais soigneusement choisis et méticuleusement rangés dans mon sac, elle avait sous les yeux une pile de vieux tee-shirts, de jeans sales (*Il y a vraiment des gens qui emportent en voyage des jeans pas lavés ?*), des chaussures de marche qui puaient les pieds, des caleçons et une chemise blanche toute chiffonnée.

– C'est à qui, toutes ces affaires ? a demandé maman.

– J'en sais rien.

– Mais alors, comment sont-elles arrivées là ? Et où est ton sac ?

– J'en sais rien, ai-je répété d'un ton glacial. Et aussitôt je m'en suis voulu encore plus de répondre aussi mal à ma mère. J'ai péniblement avalé ma salive et changé de ton pour achever de m'expliquer : Je me suis trompée de sac à l'aéroport. Comme une idiote !

– Tu n'es pas une idiote, a martelé maman, en regardant partout autour d'elle. Tu as ton sac à dos ?

– Ouais. Je l'avais avec moi dans l'avion. C'est l'autre sac qui n'est pas là, celui qui a voyagé dans la soute.

– D'accord. Est-ce que tu avais les *deux* sacs quand on a passé la douane ?

Je me suis revue dans la file d'attente, à l'aéroport. J'avais deux sacs. Le type au guichet m'a d'abord regardée puis il a regardé mon passeport. Ensuite il l'a tamponné et c'est tout.

– Personne n'a ouvert mes sacs. Alors je ne peux pas

15

savoir si c'était le bon que j'avais avec moi, à ce moment-là. J'étais à deux doigts de pleurer.

– Bon, écoute, m'a dit maman. On va retourner chercher ton sac à l'aéroport. Ce n'est pas le bout du monde, après tout. Laisse-moi juste le temps de me changer. Il faut que j'enlève ce chemisier qui empeste le vinaigre.

En se retournant, elle s'est cogné un orteil sur un pied de table.

– Merde ! s'est-elle exclamée, en regagnant la chambre à cloche-pied.

3

Andrew

Oh, bon Dieu !

Qu'est-ce qui m'avait pris ? Webb croyait que je lui en voulais pour son histoire de sac. J'avoue que ça compliquait les choses et que nous n'avions vraiment pas besoin de ça. Mais en réalité, j'étais furieux contre moi, à cause de ce que j'avais fait, plus tôt, dans la journée.

Je venais de décrocher un de mes plus gros contrats de l'année – mise en espace d'une exposition sur l'art numérique, au Palais de Cristal de Madrid – et au lieu de retravailler mes notes pour l'expo, pendant tout le vol de Chicago à Paris, j'avais fait une fixation obsessionnelle sur une femme assise en première classe.

Je l'avais remarquée lors de l'embarquement. Déjà installée, elle feuilletait un magazine, en sirotant le verre de vin offert par la compagnie, servi, s'il vous plaît, dans un vrai verre. (*Ah les privilèges de la première classe !*) Par chance, comme j'avançais derrière Webb, j'avais pu m'attarder un peu sur cette vision du siège 6B. Je la suppliais mentalement de lever les yeux de sa lecture pour que je voie mieux son visage, mais elle était plongée dans une recette de cuisine. J'ai essayé de voir de quoi il s'agissait. Un *gratin* ? Un plat *du terroir* ? Pas facile de lire à l'envers.

Juste à ce moment, Webb s'est arrêté pour aider une personne âgée à hisser sa valise à roulettes dans le compartiment à bagages. Je suis entré en collision avec mon fils et j'ai perdu l'équilibre. Ça n'a duré qu'un quart de seconde, mais ce fut suffisant pour que je donne un grand coup dans le bras de Mrs. 6B, à l'instant précis où elle portait le verre à ses lèvres.

– Oh, bon Dieu ! ai-je juré en voyant le vin gicler sur le devant de son chemisier. Je suis vraiment confus.

– Ooooh ! s'est exclamée la femme en regardant la tache.

– Je peux..., ai-je voulu ajouter.

Mais déjà une hôtesse apportait avec empressement une serviette humide.

– Si vous le permettez, madame, je vais nettoyer ça, a-t-elle dit à Mrs. 6B. Puis, avec la sévérité d'une infirmière, elle m'a ordonné de regagner ma place. *Tout de suite.*

J'ai passé les huit heures suivantes dans une sorte de brouillard, entre l'exaltation mentale et les contorsions physiques.

En me démanchant le cou, j'arrivais à la voir de mon siège couloir de la treizième rangée. Je l'ai regardée croiser les jambes d'abord dans un sens, puis dans l'autre. Elle portait d'élégantes chaussures noires qu'elle a enlevées peu après le décollage. Quel âge pouvait-elle avoir ? Quarante ? Peut-être quarante-cinq ?

Je l'observais encore quand elle s'est mise à tournicoter sa queue-de-cheval d'un beau châtain doré pour en faire un chignon. Un chignon ? Non, ça évoque un truc de la génération de ma mère, et cette femme était résolument postmoderne. À en juger déjà par ses lunettes rectangulaires – très chics, en parfaite harmonie avec la géométrie de son visage. Dans une autre vie, elle aurait pu être une jeune noble italienne ayant posé pour Botticelli.

Pour couronner le tout, il n'y avait personne à côté d'elle. Je regrettais presque d'avoir converti en espèces sonnantes et trébuchantes le billet de première classe fourni par mon client et acheté, à la place, deux billets en classe touriste pour Webb et moi. Sans compter que ces sièges n'étaient pas du tout confortables, surtout pour mon fils avec son mètre quatre-vingt-dix.

Mais bon, nous étions dans la treizième rangée, c'était comme ça. J'ai rédigé un mot dans ma tête pendant que Webb regardait je ne sais quel navet d'Adam Sandler. Une fois qu'il a été endormi, j'ai sorti une feuille de papier de ma serviette et je me suis mis à écrire :

Chère Madame 6B,

Je suis sincèrement désolé de vous avoir si maladroitement bousculée en embarquant. Je me ferai un plaisir de vous rembourser le nettoyage de votre chemisier ou de vous en acheter un autre. Mais à vrai dire, je serais plus heureux encore si vous me permettiez de vous inviter à dîner lorsque nous serons rentrés l'un et l'autre outre-Atlantique. Si tant est que vous ayez l'intention de retourner aux États-Unis. (Vous pourriez très bien être parisienne. Vous en avez d'ailleurs l'allure.)

Si je voyageais seul, j'aurais peut-être l'audace de me présenter à notre arrivée à Paris. Mais pour l'heure je ne peux que vous inviter à m'envoyer un e-mail, au cas où vous auriez

19

envie de rencontrer un admirateur terriblement confus d'avoir endommagé vos atours de voyage.

Très cordialement,
Mr. 13C
Mon e-mail : Lineman@com
P.S. : Vous êtes vraiment une femme de première classe.

J'ai tout de suite regretté ce post-scriptum. Ça frisait la goujaterie, mais j'aimais bien ce contraste avec le reste du texte. J'espérais qu'elle le lirait avec un sourire ironique, un peu comme une de ces héroïnes des séries télévisées de la BBC. Du genre Kate Winslet en déshabillé de soie, avec du rouge à lèvres.

Je me demandais si j'aurais assez de culot pour donner mon billet à cette femme. Sûrement pas. Je n'avais jamais fait une démarche pareille. Qui en était capable, d'ailleurs ? Des hommes désespérés. Des cœurs solitaires. Des pères célibataires ayant des adolescents à charge.

J'ai décidé d'oser. Pourquoi pas ? Mais, oui, *pourquoi pas ?* Qu'est-ce que j'avais à perdre ? Eh bien oui, me suis-je dit, oui, *je vais le faire !*

J'ai attendu que nous ayons atterri à l'aéroport Charles de Gaulle et que les passagers soient agglutinés au point de livraison des bagages. Webb et moi devions nous rendre au terminal d'Air France pour reprendre un avion vers Madrid, il n'y avait donc pas de temps à perdre.

– Tu récupères ton sac et on file, ai-je dit à Webb. J'avais déjà repéré Mrs. 6B près du tapis roulant.

Elle était plus grande que je ne pensais. Plus jolie, aussi.

Sûre d'elle. Elle avait le visage frais, reposé, les cheveux de nouveau rassemblés en une queue-de-cheval qui mettait son long cou en valeur. J'aimais bien sa tenue de voyage : un pantalon noir large et une veste courte, noire également, qui dissimulait son chemisier taché. Mais j'aimais surtout son visage. Le nez fin. Les lèvres relevées en un sourire involontaire. Elle semblait avoir du caractère mais affichait un air plutôt sympathique, même après un vol transatlantique.

Je suis passé à côté d'elle, assez près pour constater qu'elle ne portait pas d'alliance à la main gauche. Et j'ai glissé le mot dans son sac.

Voilà, je l'ai fait ! me suis-je dit. JE L'AI FAIT ! Deux secondes après, je regrettais déjà : *Mais pourquoi j'ai fait ça ?*

– Viens, Webb, lui ai-je ordonné à voix basse. Tu récupères ton sac et on y va. *En vitesse.*

C'était donc bien *ma* faute s'il n'avait pas pris le bon sac. *Oh, bon Dieu !*

4

Daisy

Oh, mais c'est pas possible !

Je ne l'ai vu que lorsque nous sommes retournées à l'aéroport à la recherche du sac de ma fille. Coco feuilletait un classeur plastifié pour trouver la photo qui se rapprochait le plus de son sac de sport noir. Et moi, je fouillais dans mon sac à main pour trouver mes lunettes de lecture.

C'est alors que je suis tombée dessus : un message glissé dans une poche intérieure. *Faisais-je vraiment si peu attention à mon sac ?*

Avec une bouffée d'angoisse, j'ai vérifié que j'avais toujours mon portefeuille. Une fois certaine qu'il y était, j'ai lu le mot en silence, pendant que Coco continuait d'examiner les modèles de bagages.

Quelle a été ma première réaction ? L'exaspération.

Un homme qui commence par dire à une femme qu'elle « est de première classe » la qualifiera ensuite de « vraie femme » et ne tardera pas à vouloir en faire sa « maîtresse ». Ça sentait les chansons de Tom Jones et de Neil Diamond à plein nez.

C'était même pire que ça. Apparemment, ce type avait fait *exprès* de me bousculer et de bousiller mon chemisier

– un de mes Donna Karan préférés – pour pouvoir me proposer de payer le teinturier, si j'avais la gentillesse de lui envoyer mon adresse e-mail. *Qu'est-ce que c'était que ce coup fourré ?*

J'ai essayé de me souvenir de sa tête, mais ça s'était passé tellement vite que j'aurais été incapable de le reconnaître pendant une séance d'identification.

Et en quoi est-ce que j'avais l'air d'une Parisienne ? Était-ce simplement parce que j'avais bu deux bouteilles de vin dans l'avion ? Deux *minuscules* bouteilles. Au total, ça n'équivalait même pas à un verre de vin servi dans un bar. C'était pour *ça* que j'avais l'air d'une Parisienne ? Voyons donc, monsieur Lineman !

Pourquoi les hommes étaient-ils si minables ? Non, la question était plutôt : pourquoi est-ce que je ne plaisais qu'aux hommes les plus minables.

J'ai relu le billet. « Outre-Atlantique ». Non mais, je rêve ! Qui parle comme ça, de nos jours ? Et en plus, alors ça c'est le comble, il ne « voyage pas seul » ?

J'aurais bien aimé voir à quoi ressemblait ce type. Il voyageait donc avec quelqu'un (la pauvre fille !) et il glissait des petits mots dans le sac des autres femmes ? Ah, ça c'était classe ! Et on dit que les hommes ne sont pas multitâches ? Autre hypothèse : il préparait ses textes avant de partir de chez lui et cherchait ensuite des femmes apparemment seules sur lesquelles il renversait quelque chose pour pouvoir glisser le mot dans leur sac à main au moment opportun.

Avais-je l'air si seule que ça ? Non. J'avais l'air fatiguée, et je l'étais effectivement. Et en voyage j'accuse encore plus la fatigue. Pour tout arranger, je m'étais maquillée, faute de mieux, avec des cosmétiques bas de gamme, n'ayant pas eu le temps de me racheter des produits de beauté dignes de ce nom, avant de quitter Chicago.

J'ai décidé sur-le-champ de me rattraper pendant mon séjour à Paris. Et de proposer à Coco que nous prenions ensemble des leçons de maquillage professionnel aux Galeries Lafayette. Ce serait sympa.

J'ai pensé envoyer un e-mail au petit plaisantin qui mettait des mots dans les sacs à main, rien que pour le traiter d'abruti. *Non*, me suis-je dit, *je ferais mieux de donner ce mot au service de sécurité de l'aéroport – voire à Interpol – et de les laisser faire leur travail.*

Je trouvais tout de même scandaleux que ce crétin m'ait pour ainsi dire agressée, dans l'avion. Et en plus il avait eu le culot de fouiller dans mon sac à main ? *Je sais ce que je devrais faire*, me suis-je dit, *je devrais...*

– Ma-man !

La main de Coco s'agitait devant mon nez.

– Quoi ?

– Ils ne l'ont pas.

– Quoi donc ?

– Mon *sac*, a articulé Coco. Il n'est pas là.

– Il est forcément là, ai-je affirmé à la femme, derrière le comptoir.

Puis, dans mon français hésitant, je lui ai demandé s'il ne pouvait pas être dans l'avion suivant.

– Vous pouvez attendre, si vous voulez, a finalement répondu la femme, comme si attendre un bagage pouvait constituer un plaisir. Elle portait, autour du cou, un foulard de soie, noué avec cette élégance naturelle dont les Françaises ont le secret.

– Est-ce qu'il a pu être volé ? ai-je voulu savoir.

– Ouiiii, c'est possible, a répondu la dame, le regard lointain, les sourcils froncés.

Quel besoin avaient-elles toujours de bouder, ces Françaises ? S'imaginaient-elles que leur petite moue – ajoutée à l'air vache, prétentieux et indifférent qu'elles affichaient ostensiblement – les rendait plus belles ? Le fait est que oui, ça les embellit, ce qui est doublement agaçant.

– Maman, a gémi Coco, les larmes aux yeux. Il me faut mes affaires.

– Je sais. Puis, me tournant vers Mademoiselle Foulard, j'ai dit, d'un ton ferme :

– *S'il vous plaît*. Comment fait-on pour déclarer la perte d'un bagage. Ou le *vol* d'un bagage ?

– Là-bas, a-t-elle répondu avec un geste vague en direction d'un comptoir jonché de formulaires, le long du mur opposé. Ou alors, vous pouvez faire une déclaration en ligne. Sur Internet.

Bien, alors de deux choses l'une : ou bien je disais à Mademoiselle Foulard qu'elle devrait changer de métier, ou bien je respirais profondément et j'essayais de résoudre le problème moi-même.

J'ai pris Coco par l'épaule.

– Viens, cherchons un cybercafé pour faire une réclamation en ligne.

Coco a acquiescé en reniflant. Puis, selon son habitude, elle a passé nerveusement sa main dans ses cheveux châtain doré.

Ma fille. Ma belle fille de dix-huit ans. Elle m'aurait étranglée si, à cet instant précis, je lui avais dit qu'elle était plus adorable que jamais. À coup sûr, Coco m'aurait aussi reproché cet instinct qui me poussait à affectionner les rares moments où elle avait besoin de moi. Moments que j'appréciais d'autant plus que, depuis quelques années, j'étais visiblement devenue pour elle un appendice indésirable et aussi ridicule que les petits bras préhensiles de certains dinosaures.

– Mais d'abord, on va s'offrir un bon déjeuner, ai-je ajouté.

En tant que chef, j'ai toujours cru qu'un bon repas pouvait résoudre à peu près tous les problèmes de la vie. J'ai glissé dans la poche de mon pantalon noir le mot déplaisant du type de l'avion et je l'ai oublié jusqu'à ce fameux soir.

5

Webb

Je ne pouvais pas en vouloir à papa d'être en boule, vu tous les soucis qui lui prenaient la tête. Moi qui avais juré de ne pas lui coller aux basques, pendant ce séjour... Eh bien, ça commençait mal : je venais déjà de faire une bourde.

On était dans le hall de l'hôtel. Papa essayait d'expliquer la situation au concierge.

– Nous avons pris l'avion de Saint Louis à Chicago.

– Chicago, a répété le concierge, trrrrès bellllle ville.

– Oui, oui. Et ensuite, de Chicago nous avons pris un avion pour Paris. Et à Paris, encore un autre vol pour Madrid.

– Madrid ! s'est exclamé le type en faisant de grands gestes. Benvénou à Madrid !

– Oui, a glissé papa entre ses dents. Merci.

C'était mal parti.

Le BlackBerry de mon père a fait entendre un gazouillis. Pour une fois, il a paru enchanté de cette interruption qui tombait à pic. En s'excusant, il s'est mis à l'écart pour lire ses messages. Je me suis affalé dans un des fauteuils, le sac de sport vagabond à mes pieds. Je ne pouvais pas m'empêcher de le regarder d'un œil dédaigneux, comme un chien errant qui m'aurait suivi du lycée jusque chez moi.

C'est alors que mes yeux sont tombés sur une petite carte blanche glissée dans une poche latérale du sac. Je l'ai sortie et j'ai lu :

CocoChi@com

Papa continuait de consulter ses messages en maugréant. J'ai fourré la carte dans ma poche, empoigné le sac et je me suis approché du concierge.

– Hum, ai-je dit. ¿ *Tiene una, hum, sal con...*

Je ne savais pas dire « ordinateur » en espagnol, alors j'ai bêtement pianoté sur un clavier invisible, devant moi.

Le concierge, très enthousiaste :

– Votre espagnol est parfait ! Oui, nous avons un centre d'affaires. Tout au bout du couloir, à gauche.

– *Gracias*, ai-je répondu.

J'ai attiré le regard de papa pour lui indiquer, d'un signe du menton, où j'allais. Je trimballais toujours un sac de voyage qui n'était pas le mien, mais maintenant, au moins, j'avais un indice pour retrouver son propriétaire. Pour je ne sais quelle raison, je tenais à résoudre ce pataquès tout seul, sans faire perdre davantage de temps à mon père.

Une fois installé devant un ordinateur, je me suis connecté, j'ai ouvert mon compte e-mail et j'ai commencé à écrire.

6

Coco

Après avoir quitté l'aéroport pour la deuxième fois de la journée – *grrr* – maman et moi avons déjeuné dans le quartier de Saint-Germain-des-Prés. Nous étions assises dehors autour d'un guéridon en marbre, sous un store bleu. Mon premier restaurant à Paris.

J'ai pris une omelette nature que, bizarrement, on m'a servie avec des frites. J'aurais dû me régaler. J'aurais dû trouver ça trop top. Eh bien pas du tout. Je me sentais affreuse parce que je portais les mêmes fringues que la veille, au départ de Chicago.

– C'est pas merveilleux, tout ça ? s'est extasiée maman qui voulait positiver à tout prix.

Il fallait que je sois gentille avec ma mère. Elle était surmenée depuis des semaines.

– Ouais, c'est super, ai-je répondu. Je vais prendre plein de photos.

Et là, ça m'est revenu, subitement :

– Han, mon appareil est dans mon sac !

– Tu avais mis ton nouvel appareil dans ton sac de

30

voyage ? s'est exclamée maman. Il fallait le mettre dans ton bagage à main, voyons.

– Mais je ne pouvais pas deviner qu'ils allaient perdre mon sac sur ce foutu vol. On n'a même pas eu de correspondance. Si au moins tu m'avais laissée emporter mon iPhone, j'aurais pu prendre des photos avec.

– Ma chérie, a rétorqué maman d'un ton ferme, on va de ce pas chercher un cybercafé et faire une déclaration de perte à la compagnie aérienne.

Et, aussitôt sorties du restaurant, on a trouvé un cybercafé juste à côté d'un distributeur de billets où maman a pris des euros. Elle m'en a donné une petite liasse.

– Tiens, mets ça dans ta poche. Fais-y bien attention.

– Mais maman ! C'est pas ma faute si mon sac s'est perdu !

– Je n'ai pas dit ça. Je te conseille seulement de faire attention aux pickpockets.

– D'accord, ai-je marmonné.

J'avais les yeux qui me piquaient. Si je ne me contrôlais pas, j'allais me remettre à pleurer.

Je détestais faire ma mauvaise tête avec ma mère, mais c'était plus fort que moi. Elle avait le chic pour choisir les mots qui me faisaient grimper au cocotier. Et ensuite, elle trouvait toujours n'importe quelle excuse crédible pour expliquer qu'elle n'avait pas voulu dire ça, si bien que je finissais toujours par avoir tort.

On ne se parlait pratiquement plus, quand chacune de nous s'est assise devant un ordinateur.

– Je m'occupe de la déclaration de perte, a annoncé

31

maman, en me tendant un bout de papier avec le mot de passe de connexion. Fais ce que tu veux, pendant ce temps.

Super. Je me suis précipitée sur ma page Facebook. J'ai jeté un rapide coup d'œil aux quelques messages arrivés dans ma boîte. Contrairement à la plupart de mes potes, je trouvais ça ennuyeux et épuisant de passer mon temps sur Facebook. Alors j'ai consulté mes e-mails. C'est là que j'ai vu un message dont je ne reconnaissais pas l'expéditeur.

De : Webbn@com
À : CocoChi@com
Objet : Votre sac

Chère CocoChi,

J'ai trouvé votre adresse e-mail sur une carte, dans une poche de votre sac de voyage, que j'ai pris par mégarde ce matin à l'aéroport de Paris. Je l'aurais rapporté à la compagnie, si je n'avais pas dû repartir aussitôt pour Madrid. Je ne me suis aperçu de mon erreur qu'en arrivant à l'hôtel. Est-ce que par un heureux hasard vous auriez mon sac ? Je crois que j'ai oublié de l'étiqueter à mon nom. Mais vous saurez que c'est le mien, s'il est en tous points identique au vôtre mais qu'il contient des vêtements de garçon et quelques livres, dont *Walden ou la Vie dans les bois* de Henry David Thoreau. (Un très bon livre, au passage. Je vous le recommande, si vous ne l'avez pas lu.)

En tout cas, je suis navré de cette confusion. Si vous voyez dans mon sac quelque chose que vous avez envie de mettre, n'hésitez pas. J'aimerais bien le récupérer à un moment ou à un autre, mais je ne vois pas comment on peut faire. Avez-vous une idée ? Je repasse par Paris samedi et je reprends un avion pour Saint Louis dimanche.

Décalage-horairement vôtre,
Webb Nelson

J'ai répondu aussitôt.

De : CocoChi@com
À : Webbn@com
Objet : Re : Votre sac

Monsieur Nelson,
Merci INFINIMENT de m'avoir prévenue. Vous ne pouvez pas savoir comme je suis HEUREUSE et soulagée que vous ayez mon sac. Ma mère est justement en train de consulter le site de la compagnie aérienne pour savoir comment on pourrait faire l'échange des sacs.
Je vous recontacte dès que possible.
Merci encore pour votre message !

Coco Sprinkle (à Paris)

P.S. : J'espère que je ne vous vexe pas en vous demandant ça, mais quelque chose m'intrigue : d'où vient ce nom, Webb ψ (Cela devrait être un point d'interrogation, mais impossible de le trouver sur ce clavier.)

7

Andrew

J'étais à Madrid depuis moins de trois heures, et je regrettais déjà d'avoir accepté ce travail.

Le problème ne venait pas de l'expo elle-même. J'aimais bien le concept. Cela s'intitulait *L'Amour à l'ère post-numérique*. L'idée était de présenter la première génération d'artistes vivant dans un environnement numérique et ayant grandi avec des Playstation, des iPod et Facebook. Leur art reflétait leur sensibilité électronique. Des artistes qui, au lieu de travailler avec des toiles et des couleurs, utilisaient des jeux vidéo interactifs, des installations de réalité virtuelle, des écrans laser et des courts métrages en 3D.

J'étais censé créer un espace permettant d'exposer ces œuvres de façon à encourager les visiteurs non seulement à les voir, mais aussi, et selon les propres mots de la commissaire de l'exposition, « à ressentir ces œuvres et la passion de leurs créateurs ». Enfin, leur soi-disant passion. (Pardonnez mon cynisme mais voilà ce que c'est que d'engager un concepteur d'exposition de cinquante-trois ans.)

La commissaire en question était une certaine Solange

Bartel. J'avais déjà fait équipe avec elle sur de précédentes expositions, et pour celle-ci, nous avions discuté des dizaines de fois au téléphone, durant les mois que j'avais consacrés à ce projet. Dès le départ, Solange savait ce qu'elle voulait. Nous étions tombés d'accord sur l'importance de créer un espace qui serait moderne et high-tech sans être trop froid, quelque chose d'attirant. Il ne fallait pas perdre de vue qu'il s'agissait d'une exposition sur l'amour.

Jusqu'alors, je n'avais eu que des bons retours de Solange. Elle n'avait cessé, au fil des semaines, de m'envoyer des e-mails positifs. Mais, à en juger par le premier message que j'avais reçu d'elle à Madrid, elle était comme tous les clients avec qui j'avais travaillé. Tout était merveilleux, parfait, génial – jusqu'à quarante-huit heures avant l'inauguration de l'expo. À ce moment-là, tout devenait problématique et désastreux. Et uniquement par ma faute.

« La cata, m'écrivait Solange dans son e-mail. Pas d'électricité depuis hier aprèm. »

Pour la majorité des œuvres exposées, il fallait des écrans plasma ou autre, donc une panne d'électricité posait un sérieux problème.

« Arrivé à l'hôtel il y a 1 heure, ai-je répondu avec mon BlackBerry. Je déjeune en vitesse et j'arrive. »

« Fais vite ! » fut sa réponse.

J'ai parcouru rapidement mes autres messages pour voir s'il y avait une réponse de Mrs. 6B. Rien. J'ai cherché Webb qui avait pris ses quartiers dans le centre d'affaires de l'hôtel.

– Hé, papa, m'a-t-il lancé, avec un grand sourire, je crois que j'ai résolu le problème.

– Le problème ?

– Mon sac perdu, tu sais ? Mes fringues, mes affaires.

– Ah, oui. Oh, bravo.

C'était vraiment très bien. Je voulais que Webb soit capable de résoudre lui-même ses problèmes. Laisse-le apprendre à se débrouiller seul, pensais-je. Laisse-le faire son chemin dans le monde et développer cette énergie dont on a tant besoin dans la vie. Il avait dix-sept ans, quand même ! Il était temps qu'il apprenne à regarder les gens dans les yeux et à leur serrer vigoureusement la main. Et surtout, je voulais éviter qu'il devienne comme ces types de trente ans que je voyais toujours dans l'avion, plongés dans des jeux sur leur téléphone ou leur ordinateur.

– Allez, on va manger un morceau et ensuite direction le hall d'exposition, ai-je lancé. J'ai du pain sur la planche.

Webb hésitait.

– Mmm, ça ne t'ennuie pas si je reste un peu ici ? Jusqu'à ce que je règle cette histoire de sac ?

– Mais toi, ça ne te dérange pas de rester tout seul ?

– Non pas du tout, a-t-il répondu. Je peux manger quelque chose ici, à l'hôtel ?

– Bien sûr.

Je suis donc retourné dans la chambre chercher ma serviette et mes croquis. J'avais trois nouveaux messages de Solange. Maintenant, c'était la climatisation qui ne fonctionnait plus au Palais de Cristal.

« Elle marchait hier, écrivait-elle. Auj = rien. Pas possible que les gens suent comme des bœufs le jour de l'inauguration ! »

Je lui ai assuré que tout fonctionnerait parfaitement avant la soirée inaugurale. L'instant d'après, j'étais déjà épuisé rien qu'en pensant aux heures de boulot qui m'attendaient.

Sachant que je n'avais pas le temps de déjeuner, j'ai pris dans le minibar la tablette de Toblerone que j'ai mâchée sans plaisir.

En quittant l'hôtel, je me suis arrêté devant le centre d'affaires. Webb était toujours assis devant un ordinateur. Il picorait dans une assiette de frites en riant de ce qu'il voyait sur l'écran. Un jeu vidéo sans doute, auquel il devait jouer avec un nouvel ami, ou soi-disant tel, de Nouvelle-Zélande ou de Hong Kong.

Je suis resté un moment à observer ce garçon que j'avais élevé depuis sa naissance. Nous étions en Europe, dans une capitale, et il passait son temps devant un ordinateur. Il préférait jouer à ce jeu débile plutôt que de se balader dans les rues de Madrid.

Comme tous les parents, je mettais sur le compte de la nature tout ce qui me déplaisait chez mon fils, attribuant aux bienfaits de mon éducation les traits de caractères que j'aimais.

Webb était un gentil garçon. Une belle personne. Je n'en doutais pas le moins du monde. Comme pour me rassurer là-dessus, il a choisi ce moment-là pour tourner la tête et me regarder à travers les portes vitrées du centre d'affaires. Il m'a adressé un grand sourire avant de retourner à son ordinateur.

Je ne savais pas si je devais rire ou pleurer.

8

Daisy

Il fallait que je retrouve le sac de Coco. Sinon j'allais passer la semaine avec une ado infecte.

Une rapide recherche sur Internet m'a fourni les informations suivantes : si une compagnie aérienne perd un bagage, le passager peut réclamer jusqu'à mille huit cents dollars. Mais quatre-vingt-dix-huit pour cent des bagages déclarés perdus ou volés finissent par être retrouvés, en conséquence, les passagers obtiennent rarement plus de deux ou trois cents dollars – autant dire une misère – en compensation des désagréments subis avant que le bagage ne soit restitué.

Ça n'allait pas nous avancer à grand-chose. L'appareil photo valait à lui seul trois cents dollars. Et je n'avais aucune envie de retourner à l'aéroport pour remplir des paperasses.

Je savais que si je disais à Coco que la compagnie aérienne proposait de lui donner cinq cents dollars de dédommagement, elle serait contente. Oui, cela voulait dire que j'allais mentir à ma fille. Mais c'était le prix à payer pour que ces vacances se passent bien, sans que j'aie à subir sa mauvaise humeur. En plus, ce serait amusant de faire du shopping à Paris. Je pouvais acheter à Coco quelques beaux vêtements qu'elle porterait à l'université, à l'automne.

Cette solution me plaisait bien, mais je voulais encore y réfléchir quelques minutes, avant de m'engager dans ce mensonge à cinq cents dollars.

Par habitude, je suis allée consulter ma messagerie, où j'ai jeté, sans même les ouvrir, tous les courriers qui ne m'intéressaient pas. Ensuite j'ai passé en revue les e-mails de mes amis et anciens collègues. Un serveur, rencontré quelques années auparavant, m'envoyait un lien vers un article de presse.

Chicago Tribune, dimanche 17 avril
Que veut Daisy Sprinkle ?

Je n'ai pas pu résister. J'ai cliqué sur le lien pour tout lire.

Que veut Daisy Sprinkle ?
La chef préférée de Chicago démissionne − encore.

Moins d'un mois après avoir remporté le prix James Beard récompensant les chefs exceptionnels, Daisy Sprinkle a quitté le restaurant français à la mode Bon Soir pour lequel elle avait quitté l'an dernier la Maison Blanche, pour lequel elle avait quitté... Qui s'en souvient ?

Le modus operandi de Daisy Sprinkle depuis son arrivée à Chicago il y a presque vingt ans a été de butiner de restaurant en restaurant, transformant chacun d'eux comme avec une baguette magique, pour en faire le resto de la ville. Mais à

39

peine cette prouesse accomplie, elle s'en va, généralement sans crier gare, et apparemment sans raison.

Dans une interview accordée l'an dernier au magazine Celebrate Chicago !, *Daisy Sprinkle comparait le métier de chef à celui de parent. « Pour l'un comme pour l'autre, il faut travailler d'arrache-pied sans compter ses heures, avoir pas mal de chance, et le courage de faire des tonnes de lessives »,* lançait malicieusement cette mère célibataire qui exige dans ses contrats que, les soirs où elle assure trois services, jusqu'à minuit, le restaurant mette à sa disposition « une pièce calme et propre » où sa fille puisse faire ses devoirs, pendant qu'elle joue de sa baguette magique en cuisine.

Mais Daisy Sprinkle, qui est passée maître dans l'art de lancer de nouveaux restaurants, s'avère de plus en plus douée aussi pour les quitter.

D'où cette brûlante question : que veut Daisy Sprinkle ? Qu'est-ce qui pourrait l'inciter à rester suffisamment longtemps dans un restaurant pour que nous puissions savourer plus d'une...

Je n'ai pas pu lire un mot de plus. Tant de banalité me faisait grincer des dents.

Une *baguette magique* ? Tel était donc mon secret ? Des tours de *passe-passe* ? Des *sortilèges* ? Au secours !

Si l'un de ces plumitifs s'était donné la peine de venir m'observer en cuisine, il aurait découvert mon vrai secret : je travaillais comme une forcenée, surtout dans une nouvelle cuisine où il fallait une énergie folle pour rehausser les critères de qualité et établir des protocoles de travail

40

opérationnels. Chacun devait savoir ce qu'on attendait de lui et ce qui ne serait pas toléré.

C'était au début que j'excellais, lorsque je démontrais à mes collègues en cuisine, mais aussi aux serveurs et même aux propriétaires – j'étais effarée par l'ignorance des gérants de restaurants en matière de nourriture –, que la réalisation d'un repas raffiné ne relevait pas de la prestidigitation. Que la poudre de perlimpinpin n'avait pas sa place dans une cuisine. Qu'il fallait travailler dur, un point c'est tout. Et que quand on faisait les choses comme il fallait – ce qui supposait de maîtriser différentes techniques, d'utiliser des ingrédients d'une qualité et d'une fraîcheur irréprochables, d'avoir du bon matériel –, on était sûr de produire, par exemple, une crème brûlée parfaite.

Mais un bon repas devait surprendre, aussi. Dans chaque plat, il devait y avoir un ingrédient impossible à identifier. Quelque chose qui vous pousse à prendre une autre bouchée. C'est en cela que cuisiner est un art.

Et ce que j'avais dit à ce journaliste de *Celebrate Chicago !* c'était que le boulot, le courage, la chance et les lessives étaient les *seuls* points communs entre le métier de chef et celui de parent. Pour tout le reste, cuisiner était l'antithèse de l'éducation. Avec un enfant, on peut donner le meilleur de soi-même, utiliser les meilleurs ingrédients – écoles privées, colonies de vacances coûteuses, cours de violoncelle et club d'échecs – et obtenir quelque chose que l'on n'a même pas envie de présenter à ses plus proches amis.

La cuisine m'obéissait. Je la comprenais. Ce n'était pas du tout le cas des adolescentes. Comme pour me rappeler cette évidence, j'ai jeté un coup d'œil en direction de Coco.

41

Elle pianotait furieusement sur le clavier, en souriant aux anges.

Elle pouvait passer du rire aux larmes en moins d'une minute. C'était la créature la plus imprévisible du monde, mais avec une constante : elle était aussi perfectionniste que sa mère, au point d'être malheureuse quand les choses n'allaient pas comme elle voulait.

J'ai déconnecté l'ordinateur, attrapé mon sac à main et me suis approchée de Coco.

– Tu as bientôt...

– Ma-man ! a hurlé Coco.

– Quoi ?

– Tu es en train de lire mon e-mail !

Elle m'avait lancé ce reproche avec cette indignation vertueuse qu'elle avait perfectionnée en apprenant à conduire et élevée comme tant d'autres choses à un degré d'expertise sans précédent.

– Je t'assure que je ne suis pas en train de lire ton e-mail, ai-je répondu, en résistant à l'envie d'ajouter que je me fichais éperdument des petites histoires qu'il y avait entre ses copines et elle. (Je les trouvais charmantes, ces gamines, mais, vraiment, leur manie de toujours tout dramatiser m'exaspérait au plus haut point.)

J'ai fermé les yeux et débité l'information suivante :

– La compagnie aérienne te donnera deux mille huit cents dollars si elle a perdu ton sac. Mais il est plus probable qu'ils l'aient simplement *égaré*, auquel cas tu obtiendras un dédommagement de, euh, attends voir... Cinq cents dollars.

– D'accord, a dit Coco en me tournant le dos. En fait, j'en ai encore pour cinq minutes.

– Pourquoi, « en fait » ? Je voulais lui faire perdre l'habitude de dire « en fait » à tout propos.

– *Ma-man !* a-t-elle glapi. Tu ne vois pas que je suis *occupée* ?

– Très bien. Je t'attends dehors.

Et là, je me suis remémoré ce que disait toujours Nancy, ma thérapeute. Qu'il était très important de respirer, dans ces moments-là. Qu'une profonde inspiration pouvait réellement apaiser le rythme cardiaque et empêcher les crises d'angoisse. Qu'en respirant ainsi, on se sentait tout simplement mieux.

Pourtant, je ne pouvais m'empêcher de me demander si je n'avais pas fait une énorme bêtise en amenant Coco avec moi. Ses sautes d'humeur permanentes étaient-elles dues à des fluctuations hormonales ? Ou bien était-ce son véritable caractère qui se dessinait ?

Le bal de fin de promotion avait lieu le samedi soir et personne n'avait invité Coco. Elle faisait comme si ça lui était égal. « Plus personne ne va à ce genre de bal, c'est complètement ringard », m'avait-elle dit récemment. Mais je savais que plusieurs de ses copines y allaient avec leur petit ami et non en groupe, comme le faisait Coco quand elle était plus jeune. J'imaginais que si elle devait répondre d'urgence à cet e-mail, c'est qu'il provenait d'une copine qui venait de se faire inviter – ou jeter – par un garçon.

Coco était un peu la meneuse, dans sa bande de copines. Même si elle me tapait sur les nerfs depuis un moment, j'étais contente que d'autres filles puissent se confier à elle.

43

Je me suis promis d'être plus patiente avec elle, au nom de la solidarité féminine.

Pendant tout ce temps, cet article de journal s'agitait dans mon cerveau comme un drapeau ennemi. « Que veut Daisy Sprinkle ? »

Fallait-il que je leur envoie une liste ? J'aurais fait un copieux inventaire des choses que je voulais : la santé pour ma fille et pour moi, la réussite professionnelle, une maison confortable, la sécurité financière.

Comme tout le monde. Sauf que j'avais déjà tout cela. Alors que voulais-je de plus ? Qu'est-ce que les femmes comme moi pouvaient vouloir d'autre ?

À travers la vitrine, j'ai regardé Coco en train de pianoter. Ses yeux riaient à présent, et elle avait mis ses mains en coupe devant sa bouche. Ma fille, c'est Jean-qui-rit et Jean-qui-pleure.

Effectivement, elle était occupée, obnubilée même par quelque chose d'important. Était-ce là ce que je souhaitais, moi aussi ? Me mêler de quelque chose de compliqué et de dramatique ? M'immiscer dans l'idylle de quelqu'un d'autre ? Ou bien avoir moi-même une idylle ?

Non, merci. J'avais déjà donné. Et ce pendant des années. La dernière fois, c'était un an et deux restaurants plus tôt. (Ou deux ans et trois restaurants plus tôt, je ne sais plus. Le temps passe à toute allure quand on ne fait pas l'amour.) Bref, c'était avec le gérant d'un restaurant français de Oak Park, dans la banlieue de Chicago, qui m'avait convaincue de quitter un bistrot dans le Loop, un des plus importants quartiers d'affaires du centre. Il s'appelait Chuck. (« Pourquoi tu réponds aux coups de téléphone d'un type qui

44

s'appelle Chuck[1] ? » m'avait demandé, un jour, mon amie Solange.) Chuck, donc, jurait ses grands dieux qu'il ne pouvait pas vivre sans moi et sans mon *poulet rôti l'ami Louis.* Alors que n'importe quel crétin est capable de faire un poulet rôti. Il suffit de frotter la bête avec de la graisse de volaille – de la graisse d'oie si possible, mais la graisse de poulet fait aussi l'affaire – avant de l'enfourner.

Comme une idiote, j'ai accepté de travailler dans le restaurant de Chuck et pire encore, je suis sortie avec lui – pour apprendre six mois plus tard de la bouche d'une serveuse que je n'étais qu'un « hors-d'œuvre ». Et qu'il s'offrait en plus la chef de rang. Ah oui, et j'avais ouï dire que, par-dessus le marché, Chuck avait une femme à New York.

Alors, je voulais *quoi* ? Une nouvelle relation aussi humiliante et ridicule ? Non. Un nouveau boulot à soixante-dix heures par semaine ? Non. Pas tout de suite, en tout cas.

Je voulais visiter des musées, prendre un bain culturel et artistique d'une semaine. Je voulais savourer des mets délicieux pendant sept jours, sans me soucier ni des gammes de prix ni des marges bénéficiaires. Je voulais passer du temps avec ma fille sans être interrompue par des téléphones portables – le sien ou le mien. Et quelques produits Chanel, aussi, pourquoi pas. Des chaussures ? Seulement si j'en trouvais une paire sans laquelle je ne pourrais pas vivre. Des vêtements ? Je pouvais craquer pour un ou deux autres chemisiers en soie et de la belle lingerie.

C'était donc décidé : pendant notre semaine à Paris, nous allions faire du shopping, visiter des musées et dîner dans

---

1. *To chuck* veut dire « vomir » en argot américain (NdT).

45

les meilleurs restaurants. C'était là ma réponse à la question du magazine. *Qu'importe ce que veut Daisy Sprinkle*, ai-je pensé. *Tout ce que je sais, c'est que j'ai besoin de quelques jours de vacances.*

Était-ce trop demander ?

9

Webb

J'étais en train de répondre à son premier message quand j'ai reçu le deuxième :

De : CocoChi@com
À : Webbn@com
Objet : Re : Votre sac

Rebonjour monsieur Nelson

Ma mère s'est renseignée : elle dit que la compagnie aérienne rembourse 2 800 dollars pour un bagage perdu ou volé et 500 dollars pour un bagage qui arrive en retard – c'est-à-dire remis au passager plusieurs jours après son arrivée.

Qu'en pensez-vous ψ (Toujours pas trouvé le point d'interrogation sur ce clavier. Mon iPhone me manque. Snif...)

Coco Sprinkle

J'aimais bien les filles polies et légèrement rigides, comme ça. Je n'avais même pas besoin de la voir pour savoir que la tunique gitane n'était pas du tout son style.

Le fait qu'elle m'appelle monsieur, j'aimais bien aussi. Elle n'avait donc pas fouillé dans mon sac ? Ça me paraissait impossible. Pourtant si elle l'avait fait, elle aurait compris que je n'avais pas quarante ans.

J'ai essuyé sur mon jean mes mains pleines de gras de chips pour répondre aussitôt :

De : Webbn@com
À : CocoChi@com
Objet : Re : Re : Votre sac
Pièce jointe : Lien de téléchargement d'un clavier de conversion

Okay, mam'zelle Sprinkle. Dites-moi la vérité : vous n'avez vraiment pas examiné le contenu de mon sac ? Ou alors c'est juste par politesse que vous m'appelez « monsieur » ?

Sachez que j'ai dix-sept ans, que je vis à Saint Louis et que je suis du signe du Verseau.

Vous voulez savoir d'où vient mon nom ? Eh bien j'ai un père un peu sadique qui a voulu rendre hommage à son chanteur préféré, Jimmy Webb, en me donnant ce prénom. Voulez-vous que je vous dise comment on me surnommait à l'école primaire ? Charlotte.

(Et si vous trouvez mon premier prénom ridicule, vous allez trouver le second encore pire : Gaudí. L'architecte préféré de mon père étant Antoni Gaudí.)

Mais revenons à notre affaire : 2 800 dollars pour un bagage perdu ? Trop cool. Pas étonnant que toutes les compagnies aériennes fassent faillite. Quelqu'un de plus malhonnête que moi pourrait proposer que nous fassions une réclamation chacun de notre côté pour notre bagage volé. On empocherait l'argent et, une fois rentrés chez nous, on ferait l'échange par UPS ou FedEx – je ne sais pas quel est le moins cher.

C'est un peu comme dans *L'Inconnu du Nord-Express.* Vous avez vu ce film ? Deux types qui ne se connaissent pas se rencontrent dans un train. (Le Nord-Express est un train, comme vous vous en doutez.) Bref, ils commencent à se raconter leur vie et à se plaindre des membres de leur famille qui leur empoisonnent l'existence. Et l'un des deux (qui est dingue, on le comprend à la fin) propose que chacun tue la personne qui pose des problèmes à l'autre, comme ça personne ne pourra les soupçonner d'avoir tué un inconnu. Et après, ça se corse.

Je ne suis pas un dingue, je vous rassure. Ni un assassin. Ni un voleur de bagages. Et vous ?

Webb

P.S. : Vous utilisez sûrement un clavier arabo-européen. Je vous envoie un lien pour télécharger un convertisseur de clavier.

P.P.S. : Moi aussi je suis sans portable cette semaine. Je l'ai oublié dans mon casier vendredi.

10

Coco

Maman, qui m'attendait sur le trottoir, me fixait d'un œil noir, alors j'ai dû écrire à toute vitesse :

De : CocoChi@com
À : Webbn@com
Objet : Re : Re : Re : Votre sac

Webb,
Merci pour le convertisseur. Je vais pouvoir poser des tas de q ? u ? e ? s ? t ? i ? o ? n ? s ?
C'est incroyable que vous ayez vu *L'Inconnu du Nord-Express*. L'an dernier j'ai fait un exposé sur le livre et le film pour mon cours sur le septième art. C'est une histoire vraiment bien ficelée. Et vous savez que Patricia Highsmith a écrit aussi *Le Talentueux Mr. Ripley* qui a été adapté au cinéma ? Ça vaut le coup, si vous ne l'avez pas vu.
Quant à *Walden ou la Vie dans les bois*, le prof d'anglais nous l'a donné à lire l'an dernier. Ça m'a plu, jusqu'au jour où j'ai appris que le petit Henry retournait déjeuner

chez sa mère presque tous les midis. Et puis, il avait bien échappé à la prison grâce à sa tante, non ? Hum, hum.

Maintenant, l'idée de se « voler » mutuellement nos bagages : vous êtes un petit malin, vous. Mais au risque de passer pour une ringarde totale, autant vous dire tout de suite que je ne marche pas dans la combine, pour la bonne raison que je voudrais avoir le bac avec mention, à la fin de l'année, et j'ai peur qu'une inculpation de vol de bagages fasse franchement moche dans mon casier judiciaire. C'est un peu comme l'herpès : j'ai pas besoin de ça. Le plus simple serait qu'on s'arrange pour échanger nos sacs à notre retour. Qu'en pensez-vous ? J'habite à Chicago (d'où le CHI de mon adresse e-mail). Ma mère et moi reprenons l'avion samedi (samedi prochain, dans six jours).

En attendant, je vais quand même accepter les 500 dollars pour compenser le désagrément. Vous devriez en faire autant. C'est VRAIMENT un désagrément, après tout. (Sans vouloir critiquer vos vêtements, évidemment.)

Bon, il faut que j'y aille. Jamais entendu parler d'Antoni Gaudí. Je regarderai sur Google quand j'aurai le temps. Là, il y a ma mère qui s'impatiente dehors ; vous verriez comment elle me fusille du regard ! Vivement… le bac !

Salutations dézinguées.

Coco (il y aurait beaucoup à dire sur les parents sadiques qui choisissent les prénoms de leurs enfants) Sprinkle.

P.S. : Ah, j'allais oublier : j'ai juste jeté un coup d'œil dans votre sac. Ça m'a suffi pour comprendre que ce n'était pas le mien.

P.P.S. : Au fait, c'est mignon votre phrase sur le portable oublié dans votre casier. Mais qu'est-ce qui me prouve que vous n'êtes pas un horrible dragueur de cinquante ans qui séduit des lycéennes, aux quatre coins de la planète ? Ne vous pressez surtout pas pour répondre. Je ne pourrai pas consulter mes e-mails avant demain.

11

Andrew

L'exposition se tenait dans le Palais de Cristal – Palacio
de Cristal en espagnol –, situé au cœur du parc du Retiro.
C'était un bâtiment magnifique. Bâti en 1887 pour exposer
la flore et la faune tropicales des Philippines qui étaient
jadis une colonie espagnole, ce palais n'avait pas changé :
il faisait penser à une immense serre impériale, avec son
extraordinaire dôme de verre.

Mais avec toute cette lumière naturelle, c'était le lieu le
moins approprié qui soit à une exposition postmoderne,
dont l'essentiel devait être installé dans l'obscurité. Comment les visiteurs allaient-ils voir les images numériques
sur les écrans ? De plus, quelqu'un avait omis de signaler
que ce Palais de Cristal prenait l'eau. Dans le toit, plusieurs panneaux de verre avaient été remplacés par des
filets pour améliorer la circulation de l'air. Heureusement
que la météo ne prévoyait pas de pluie. Mais ça faisait un
souci de plus.

On ne m'invitait jamais dans les commissions qui choisissent les lieux d'exposition. Mon boulot commençait toujours une fois le lieu désigné (et le choix était rarement

53

judicieux). À moi d'aménager des salles temporaires – avec des cloisons, des faux plafonds, des grilles d'éclairage – pour mettre l'exposition le plus en valeur possible.

Pour celle-ci, j'avais imaginé un dôme dans le dôme que formait déjà le toit du Palais de Cristal pour créer un espace plus intime. En dépit de quoi j'avais quand même été obligé d'inventer un système de stores électroniques à fixer sur chaque panneau de la verrière, pour masquer la lumière du jour.

Au fond, je faisais un boulot assez ingrat. Je confiais toujours à des sous-traitants le boulot qui consiste à passer les câbles électriques et à monter des cloisons de plâtre. Mais je me chargeais de la mise en place des œuvres. C'était à mon sens la partie la plus importante de mon travail. Si j'avais un talent, c'était bien celui-là : savoir où mettre les choses.

C'était instinctif, j'imagine, cette capacité de savoir où placer tel ou tel objet, par rapport aux autres, et aussi de pouvoir expliquer pourquoi il devait aller là et pas ailleurs. C'était ce même instinct qui m'avait poussé à glisser le billet dans le sac à main de Mrs. 6B. C'était là qu'il fallait le mettre. Et ma place était auprès de cette femme.

Mais je pouvais me tromper. Je n'avais peut-être rien à faire auprès d'elle. Raison pour laquelle elle n'avait pas répondu à ma proposition de faire connaissance virtuellement. Je m'efforçais encore d'oublier son silence quand j'ai commencé à traverser le parc du Retiro.

Lorsque enfin j'ai pénétré dans le Palais de Cristal, j'ai vu une dizaine de types en blouse grise, l'air sinistre, qui rentraient et sortaient du bâtiment les bras chargés de fils et d'outils électriques. Solange était à l'intérieur, seul point fixe au milieu du vénérable pavillon de verre.

Elle était petite – et ne devait pas peser plus de cinquante kilos –, mais elle avait de l'énergie à revendre. Elle frisait la soixantaine et pourtant c'était la commissaire d'exposition indépendante la plus demandée en Europe. Les commissions de programmation des musées lui versaient de copieux honoraires pour créer des expositions temporaires capables de générer beaucoup d'entrées et une bonne publicité. Nous avions déjà travaillé ensemble plusieurs fois. J'avais énormément de respect pour elle et d'amitié aussi, sauf quand elle se mettait dans tous ses états, ce qui était visiblement le cas ce jour-là.

Au lieu du traditionnel baiser sur chaque joue, Solange m'a accueilli avec une pluie de reproches.

– Les stores électroniques sont coincés, a-t-elle commencé, en appuyant nerveusement sur les boutons d'une télécommande, comme pour démontrer son inutilité. Tu m'avais dit qu'on pourrait les fermer dans la journée, pour que les gens voient les écrans, ou les laisser ouverts une fois la nuit tombée. Eh bien ça ne fonctionne pas.

– On va arranger ça, ai-je tempéré, en me massant la nuque. Dans l'avion, j'avais attrapé un torticolis en me tordant le cou pour voir Mrs. 6B.

– Et les plombs n'arrêtent pas de sauter. *Pouf! Pouf!* a continué Solange, avec son débit de mitraillette.

– Je vais jeter un coup d'œil au...

– En plus, le traiteur a téléphoné. Il vient de perdre son père.

– C'est affreux.

– Il ne peut pas préparer le buffet pour l'inauguration. Ah, et pour tout arranger, il y a une odeur épouvantable dans les toilettes. Et...

Rien à faire. Au fond, Solange ne voulait pas réfléchir aux solutions. Elle avait simplement besoin de passer sa colère sur quelqu'un. Et ce quelqu'un, c'était moi. Alors je l'ai laissée dire, en ayant soin de hocher la tête de loin en loin. J'ai fredonné en silence la chanson *Wichita Lineman*.

Je suis lignard et je roule sur la nationale. Cherchant dans le soleil un réseau en surcharge.

Je t'entends chanter dans les fils électriques, entre les gémissements des lignes, je t'entends.

Je suis lignard dans le Wichita, toujours sur la ligne.

Je devrais prendre un peu de vacances, c'est vrai. Mais la pluie n'est pas au rendez-vous. Et s'il neige, cette ligne qui file vers le sud ne tiendra pas le coup.

J'ai besoin de toi plus qu'envie de toi et je te veux pour toujours à mes côtés.

Je suis lignard dans le Wichita, toujours sur la ligne.

J'avais toujours adoré cette chanson de Jimmy Webb. L'image du réparateur de lignes à haute tension qui traverse le comté au volant de son camion et se languit de celle qu'il aime me touchait, je ne sais pas pourquoi. Et la phrase qui faisait ce distinguo entre avoir besoin et avoir envie me bouleversait, même si je ne comprenais pas exactement ce qu'elle signifiait.

À vrai dire je n'avais jamais tout à fait saisi les paroles. Qui écoutait-il ? Pourquoi était-il toujours sur la ligne ? Sur quelle ligne ? Je n'avais jamais su. Mais pour moi, cette chanson était une œuvre d'art. Il y avait une certaine tension entre les passages que je comprenais et ceux qui restaient obscurs. En outre, elle contenait cette pointe de tristesse indispensable à toute œuvre d'art. La douleur de vivre et la douceur d'aimer : voilà ce que j'entendais dans *Wichita Lineman*.

Et Solange parlait, parlait. J'ai jeté un regard circulaire sur l'exposition, cet ovni postnumérique qui voulait se faire passer pour de l'art. L'installation la plus remarquable s'intitulait *La Ronde des portables*. L'artiste avait inventé une course d'obstacles interactive censée illustrer l'art de trouver l'amour par texto.

Qui étaient ces artistes ? Avaient-ils jamais été amoureux ? C'étaient des gens qui préféraient rester assis devant un ordinateur plutôt que sous un arbre avec un autre être humain. Des gens qui ne savaient pas ce que c'était que rouler sur une nationale en pensant à celle qui vous manque. Des gens, je devais hélas en convenir, qui ressemblaient beaucoup à mon fils.

Solange s'était tue.

– Tu m'écoutes, au moins ? m'a-t-elle lancé, les poings sur ses hanches toutes maigres.

– Oui, oui. Il faudrait, hum... il faudrait peut-être s'occuper de...

– Quoi ? S'occuper de quoi ?

– Il faudrait s'occuper d'envoyer des fleurs au traiteur. Pour l'enterrement de son père. On va faire ça. Et ensuite on réglera le reste.

– Écoute-moi bien, a scandé Solange, en agitant sous

mon nez un index gracile. L'inauguration a lieu dans deux jours. C'est ton boulot, je n'ai pas à te dire comment t'y prendre. Je te rappelle simplement en quoi il consiste : faire en sorte que tout fonctionne *à la perfection* mardi soir, à l'ouverture.

Sur ce, elle a tourné les talons.

12

Daisy

Je ne sais pas si c'était dû au déjeuner. Ou à la perspective de toucher cinq cents dollars d'indemnités. Ou au fait qu'elle ait pu se connecter avec ses copines au cybercafé. Je n'en sais rien et ça ne me regarde pas. Mais j'étais vraiment heureuse de voir Coco me rejoindre dehors avec le sourire.

– Merci de m'avoir attendue, a-t-elle dit. Oh, maman, regarde !

Nous étions devant la cour du Commerce-Saint-André, un très joli passage pavé. C'était paraît-il au numéro 9 de ce passage que le docteur Joseph-Ignace Guillotin avait perfectionné sa machine à décapiter.

– Tu sais, ça paraît incroyable, mais le docteur Guillotin était contre la peine de mort, ai-je expliqué à Coco. Il espérait que la guillotine, qu'il n'a d'ailleurs pas inventée puisqu'elle existait déjà, remplacerait des formes d'exécution plus barbares, comme la pendaison. Et si ça se trouve, la guillotine a été le premier pas vers l'abolition de toutes les formes d'exécution capitale.

Coco regardait fixement le bâtiment.

– J'aimerais bien prendre une photo. Si seulement j'avais mon appareil. Ou mon téléphone.

J'ai senti mon estomac se nouer. C'était bien ce que je pensais : elle allait passer toute la semaine à se lamenter sur chaque photo manquée ! Auquel cas, il me faudrait un rendez-vous avec le docteur Guillotin.

– Remarque, j'aurai certainement l'occasion de revenir dans cette rue, un jour, a-t-elle ajouté, comme si elle avait lu dans mes pensées. Ce que je pourrais faire, c'est m'amuser à la décrire, par écrit. Ou la dessiner, avec des crayons de couleur. Ça me donnerait des points supplémentaires en français.

– Excellente idée, me suis-je exclamée. Ça ne doit pas être difficile de trouver des crayons de couleur à Paris : c'est la ville de l'art et des artistes.

– Et des bourreaux ! a répliqué Coco avec un rire sardonique, en glissant son bras sous le mien.

– Il ne faut pas être trop sévère avec le docteur Guillotin, l'ai-je prévenue. C'était un humaniste et un réformiste. À son époque, les exécutions étaient des spectacles publics d'une brutalité inimaginable. Et c'est contre ça qu'il s'est battu.

– Oh, mais moi j'aime bien tout ce qui est gore, a murmuré Coco en se serrant contre moi. Viens, on va se promener et regarder tous les trucs qui font peur et aussi les belles choses.

Et nous avons passé tout l'après-midi à cela.

Le plus sage, compte tenu que nous étions arrivées le matin même, aurait été de rentrer à l'appartement de Solange et de faire une petite sieste pour nous remettre du

60

décalage horaire. Mais c'était tellement merveilleux de flâner dans les ruelles et d'admirer tout ce qui nous entourait.

Quelques heures plus tard, comme nous n'avions pas assez faim pour dîner, nous avons décidé d'acheter des gâteaux et de rentrer. Nous avons choisi une pâtisserie dont la vitrine, pleine de meringues de couleurs pastel empilées avec une jolie précision architecturale, nous fascinait.

– Les Français sont les meilleurs pâtissiers du monde, ai-je dit à Coco.

C'était pour cela que j'étais venue faire mes études à Paris, vingt ans plus tôt. J'étais fière de connaître encore presque tous les noms de ces gâteaux : *opéra, tropézienne, castel, millefeuille, éclair au chocolat* ou *au café.*

– Maman, qu'est-ce que tu veux ? m'a demandé Coco quand nous étions à l'intérieur.

– Heu...

Les *tartes aux pommes* avaient l'air exquises. Toutes fraîches et légères, pas comme les monstrueux gâteaux au chocolat horriblement lourds que je voyais trop souvent dans les menus américains.

– Maman, qu'est-ce que tu veux ? a répété Coco.

Le charme était rompu. Car cette question, au lieu de m'encourager à choisir parmi les merveilles comestibles que j'avais sous les yeux, m'a rappelé cette stupide chronique du *Chicago Tribune.*

– Qu'est-ce que je veux ? ai-je demandé, tandis que ma tension artérielle montait d'un cran. Je veux que les gens arrêtent de me demander ce que je veux, grands dieux !

J'étais prise la main dans le sac. *Ne faites pas rejaillir vos propres problèmes sur Coco,* m'avait dit Nancy, ma thérapeute miracle. *L'angoisse n'est autre que de la colère refoulée. Respirez profondément. Êtes-vous en colère contre Coco ? Non. Mais pourtant vous êtes en colère. Contre qui ?* Je ne suis pas en colère. Je suis fatiguée. J'ai besoin d'un peu de vacances.

J'ai pris une profonde inspiration et j'ai rectifié le tir.

– Excuse-moi ma chérie. Je vais prendre... la même chose que toi.

Coco a souri d'un air mystérieux et a commandé un petit gâteau très laid qui s'appelait *séduction*.

13

Webb

Vu que papa allait bosser pendant des heures, j'avais le temps de répondre illico au message de Coco. Mais je ne l'ai pas fait, parce qu'elle aurait sûrement trouvé ça nul, vu sa dernière phrase : « Ne vous pressez surtout pas pour répondre. » Ça devait être un message codé, du genre : « Eh mec, arrête de m'envoyer des mails pendant un moment, tu veux ? »

Je me suis déconnecté et je suis sorti de l'hôtel. Le concierge était toujours à son poste. Il m'a gratifié d'un petit mouvement du menton et d'un sourire.

– *Luego*, ai-je dit en lui faisant signe.

Je me sentais ridicule chaque fois que je sortais mes trois mots d'espagnol minables, niveau lycée. Mais je trouvais encore plus grossier de considérer que tous les gens de la planète devaient parler anglais.

Il était 6 heures, heure de Madrid. 11 heures, à Saint Louis. Ça faisait vingt-quatre heures que je portais les mêmes fringues et j'aurais vraiment eu besoin d'une douche. Mais l'air du dehors me faisait du bien.

J'aimais Madrid. Papa m'y avait déjà emmené deux fois,

quand il était venu y bosser. Les deux fois, on était descendus au Palace, je connaissais donc bien le quartier. Quand j'étais devant l'hôtel, je voyais, à ma droite, la fontaine de Neptune avec ses chevaux marins. Le musée du Prado était juste au bout de la rue. Ainsi que le parc du Retiro avec le Palais de Cristal qui ressemble à un ancien terrarium géant transformé en musée. C'était là que mon père travaillait. J'ai pris cette direction.

J'ai descendu le Paseo del Prado en me noyant dans les bruits, les images et la magie intense de la ville. Il y a quelque chose d'étonnamment apaisant dans le fait de se balader seul dans une grande ville. Je trouvais l'univers incroyablement généreux et l'espèce humaine trop, trop intelligente, d'avoir construit quelque chose d'aussi beau. S'il avait fallu compter sur moi, on en serait encore à vivre dans des grottes et à faire griller de la viande sur un feu de camp.

Ça m'a rappelé une conversation que j'avais eue peu de temps avant, avec mon père. Il m'avait demandé si j'avais réfléchi à ce que je voudrais faire comme études, après le lycée et s'il y avait un métier qui m'attirait. Quand j'avais répondu que je voulais devenir un homme des cavernes des temps modernes, il avait failli se mettre à pleurer, le pauvre. Les temps sont durs, pour les parents.

J'ai flâné pendant plus d'une heure, avec l'impression de dépasser d'une tête tous les *Madrilenos*. Au bout d'un moment, je me suis retrouvé devant l'hôtel, après avoir fait un immense circuit fermé. J'ai traîné un peu dans le hall dallé de marbre avant de retourner au centre d'affaires.

Cette fois encore j'étais seul. Je me suis installé et j'ai commencé à écrire.

De : Webbn@com
À : CocoChi@com

Objet : Re : Re : Re : Re : Votre sac

Preuves que je ne suis ni un vieux pervers ni un dragueur globe-trotteur :

1. Je n'ai pas de poils dans le nez ni dans les oreilles.

2. Je commence rarement mes phrases par « tu devrais ».

3. Presque tout ce que j'ai provient de la boutique de l'Armée du Salut ou d'un magasin de fringues d'occasion (sauf mes Converse Chuck Taylor).

4. Je n'ai jamais écrit une vraie lettre qu'il faut timbrer.

5. Je ne trouve pas que *Casablanca* soit un chef-d'œuvre.

6. Ni *La vie est belle*.

7. Ni *Le Magicien d'Oz*.

Mais j'adore les films de Hitchcock. Et le Mississippi. Et l'arche de Saint Louis. Vous l'avez déjà vue ? Officiellement elle s'appelle « the Gateway Arch » mais à Saint Louis, personne ne l'appelle comme ça. Elle a été dessinée par l'architecte Eero Saarinen. Ce sont ses dimensions que je trouve super : cent quatre vingt douze mètres de haut et cent quatre vingt douze mètres de large, à la base. Les nuits de pleine lune, c'est carrément hallucinant.

Mais revenons à votre question (que, soit dit en passant, j'ai trouvée délicieusement insolente). Il n'y a qu'un point sur lequel je pourrais passer pour un mec un peu vieux : mes goûts musicaux. J'ai une préférence pour les chansons un peu anciennes. J'aime bien Nick Drake, Elliott Smith, Kurt Cobain – tous ces chanteurs-compositeurs de génie qui ont écrit des chansons super et ont fini par se suicider.

« Qui c'est ce pauvre type qui me parle de complot et de suicides ? » se demanda Mlle Sprinkle, en s'éloignant légèrement de l'ordinateur.

Ne vous inquiétez pas, je suis inoffensif.

Bon, à vous maintenant. Prouvez-moi que vous n'êtes pas une croqueuse de beaux gosses transcontinentale de quarante-cinq ans qui pique les jeans de sa fille. Le genre qui paraît pas mal vue de dos jusqu'à ce qu'elle se retourne, et montre un visage ridé comme une vieille pomme. On voit ça dans la fameuse scène d'*Horizons perdus*. Encore un film génial, d'ailleurs.

Webb

14

Coco

De retour à l'appartement, maman a fait du thé, pendant que je dégustais ma pâtisserie.

– On va se coucher ? m'a-t-elle demandé, tout en feuilletant des revues d'art piochées dans le stock de Solange.

– Il n'est que 20 heures, ai-je répondu. Je ne suis pas du tout fatiguée.

En réalité, j'étais épuisée. Je n'avais pas beaucoup dormi dans l'avion. Et en plus, j'avais repéré un café équipé d'Internet au bout de la rue où habitait Solange.

– On pourrait aller faire un tour ? ai-je proposé. Il faut que j'aille voir mes mails.

– Tu te figures qu'on va passer toutes les vacances dans des cybercafés ? a demandé maman sans lever les yeux de sa revue.

– Non, mais là, j'attends un mail important.

On est donc allées au bout de la rue. Maman a payé vingt minutes de connexion sur deux ordinateurs qui se faisaient face. Dans ma messagerie, il y avait un mail de Webb, auquel j'ai répondu illico.

De : CocoChi@com
À : Webbn@com
Objet : Re : Re : Re : Re : Re : Votre sac

Cher Monsieur Superficiel,
Avez-vous vu *Le Lauréat* ? Si oui, vous aurez remarqué en regardant Anne Bancroft (divine !) que les femmes d'un certain âge peuvent être absolument SUPERBES. Mais non, je ne suis pas une croqueuse de beaux gosses. Vous voulez des preuves. Alors voilà :

Contrairement à ma mère et à ses copines, je reste de marbre devant Brad Pitt, George Clooney ou Will Smith. Par contre je trouve Sean Connery et Denzel Washington super super sexy, bien qu'ils soient vieux. Et je suis raide dingue de Clark Gable et Gregory Peck, bien qu'ils soient morts.

Autre preuve que je n'ai que dix-huit ans : mes fringues sont (assez) classe mais bon marché. Ma mère, en revanche, porte des vêtements soi-disant chics, style bibliothécaire sexy. Entre autres des chemisiers à 250 dollars. C'est vrai qu'elle les a tous depuis des années, alors, peut-être qu'au bout du compte, elle s'y retrouve financièrement. Mais quand même : elle devient littéralement hystérique chaque fois qu'elle fait une tache ou qu'elle tire un fil d'une de ses « pièces » préférées comme elle les appelle.

Puisqu'on parle mode, ça vous intéressera peut-être de savoir qu'à l'heure qu'il est, je porte votre chemise oxford blanche. Mais ne vous inquiétez pas. Demain, je vais faire les boutiques, avec les 500 dollars de la compagnie aérienne.

Oui, j'ai vu l'Arche. Elle est génialissime. En fait, j'étais à Saint Louis, pas plus tard que le mois dernier. J'avais un entretien à l'université Washington. Ils me prennent à l'automne prochain, mais je veux essayer d'avoir une mention. (Je ne l'ai pas déjà expliqué, ça ? Si c'est le cas, désolée. C'est dans ma liste de priorités.)

J'espère que vous vous amusez bien à Madrid.

Adios, amigo.

Coco

P.S. : Ah, il y a un plan sur lequel je pourrais passer pour une vieille ringarde : même si mon portable me manque et surtout la possibilité d'écrire des textos, je n'ai rien contre le fait de communiquer par mail. C'est rétro, mais cool et même un peu victorien sur les bords, non ? En plus, on peut ajouter des trucs stylés comme des P.S.

P.P.S. : Au fait, on pourrait peut-être se tutoyer ?

Deux minutes plus tard, j'avais une réponse :

De : Webbn@com
À : CocoChi@com
Objet : Re : Re : Re : Re : Re : Re : Votre sac

D'accord pour le tutoiement, c'est plus simple et plus cool.

D'accord aussi au sujet des textos : c'est bon pour les crétins monosyllabiques. Je n'en envoie pas souvent. Surtout parce que j'arrête pas de perdre mon portable. Qu'est-ce que j'apprends : tu vas aller à l'université à St. L. ? Moi, je vise la Northwestern University. C'est ton coin, non ? Et tu portes ma chemise blanche ? *Muy* bizarre. Parce que moi j'ai mis ta tunique gitane. *Olé* !

De : CocoChi@com
À : Webbn@com
Objet : Re : Re : Re : Re : Re : Re : Re : Votre sac
Misérable ! Tu as fouillé dans ma valise ?

De : Webbn@com
À : CocoChi@com
Objet : Re : Re : Re : Re : Re : Re : Re : Re : Votre sac
Je n'ai pas fouillé. Cette chipie de tunique est sortie du sac et s'est enroulée autour de moi comme si j'étais Gregory Peck ! Les tuniques sont raides dingues de moi.
(Tu as compris que je blaguais, j'espère ? Tu es dingue ou quoi ? J'espère que tu ne veux pas déjà rompre, parce que j'étais justement en train de me dire que j'aimerais vachement te rencontrer.)

De : CocoChi@com
À : Webbn@com
Objet : Re : Re : Re : Re : Re : Re : Re : Re : Re : Votre sac
Me rencontrer ? Tu es sérieux ?

De : Webbn@com
À : CocoChi@com
Objet : Re : Re : Re : Re : Re : Re : Re : Re : Re :
Re : Votre sac
Sí, muy serioso !
Je voudrais te faire visiter St. L.
Et on porterait la même tunique gitane tous les deux,
bien sûr.

Je me suis retenue pour ne pas éclater de rire. Pourquoi
est-ce que dans mon lycée il n'y avait pas un seul type
comme ça : intelligent, drôle et capable de faire des phrases
entières ? Je me demandais bien à quoi il ressemblait. À
en juger par sa façon de faire son sac ce voyage, il devait
être un peu flemmard. Ou plutôt brouillon, le genre de
type tête en l'air, trop mignon.

Je voulais lui demander s'il avait une page sur MySpace
ou Facebook, mais je me serais trahie : il aurait tout de
suite compris que je voulais voir sa tête. Et je venais de
l'appeler Monsieur Superficiel.

Alors j'ai lancé un truc, juste pour alimenter la conversation.

De : CocoChi@com
À : Webbn@com
Objet : Re : Re : Re : Re : Re : Re : Re : Re : Re :
Re : Votre sac
Des tuniques gitanes. C'est ça, oui ! Et moi, je m'ap-
pellerais Esmeralda !

Sa réponse est arrivée dans la seconde.

71

De : Webbn@com

À : CocoChi@com

Objet : Re : Re : Re : Re : Re : Re : Re : Re : Re : Re : Re : Re : Votre sac

Au fait, tu vas sur Twitter ou Fb ou tous ces trucs-là, toi ? Pas moi. Je me suis dit qu'il valait mieux que tu le saches : ça t'évitera de perdre du temps à me chercher. J'ai eu une page Fb pendant un temps. Mais c'était trop prenant. Ça devenait un vrai boulot, tu vois ce que je veux dire ?

De : CocoChi@com

À : Webbn@com

Objet : Re : Re : Re : Re : Re : Re : Re : Re : Re : Re : Re : Re : Re : Votre sac

Je vois très bien. Quand ça commence à devenir une obligation, c'est plus du tout marrant. On a plein de choses en commun, Spidey.

De : Webbn@com

À : CocoChi@com

Objet : Re : Re : Re : Re : Re : Re : Re : Re : Re : Re : Re : Re : Re : Votre sac

Spidey ?

De : CocoChi@com

À : Webbn@com

Objet : Re : Re : Re : Re : Re : Re : Re : Re : Re : Re : Re : Re : Re : Re : Re : Votre sac

Spidey = diminutif de Spiderman = celui qui tisse une toile[1]

De : Webbn@com
À : CocoChi@com
Objet : Re : Re : Re : Re : Re : Re : Re : Re : Re :
Re : Re : Re : Re : Re : Re : Re : Votre sac
Ah, elle est blagueuse. Comme moi.
Bon, il faut que j'arrête. Mon père veut m'emmener
dîner. À plus, Esmeralda.

Ouh lá lá ! Il fallait que j'aille digérer tout ça chez
Solange. Je serais plus tranquille pour réfléchir.
– Maman, tu as fini ? ai-je demandé.
– Dans cinq minutes, a-t-elle répondu. J'ai un problème
important à régler.

_____

1. *A web* (proche de Webb, le prénom du fils d'Andrew) est une toile
d'araignée (NDT).

15

Andrew

Quelle journée ! La seule bonne nouvelle est que Webb m'a annoncé qu'il avait retrouvé la trace de son sac, mais qu'il ne pourrait probablement pas le récupérer avant notre retour à Saint Louis. Aucune importance. Il pourra se racheter quelques vêtements à Madrid, si toutefois j'arrive à l'extirper de la salle multimédia de l'hôtel.

Je crois que j'aurais mieux fait de ne pas l'amener. Il aurait été bien plus heureux s'il était parti en vacances avec des copains. Au moment même où je me disais que j'étais content qu'il se soit fait des amis, mon BlackBerry m'annonçait un nouveau message.

De : Solange@com
À : Lineman@com
Objet : Aujourd'hui
Andrew, merci d'avoir travaillé aussi dur aujourd'hui. Tout sera au point mardi ?

Je commençais à répondre, quand j'ai reçu un autre message.

De : DaisyS@com
À : Lineman@com
Objet : Pour info

Siège 13C, j'ai trouvé le mot que vous avez glissé dans mon sac à main à mon insu et sans ma permission. Normalement, je ne répondrais pas à ce genre de blagues de potache, mais je me sens obligée de vous dire combien j'ai trouvé votre geste déplacé, d'autant que vous ne voyagiez pas seul. J'ose espérer qu'elle ne s'est pas aperçue de votre petit jeu, ni de votre tentative de séduire au moins une femme (qui sait combien d'autres mots identiques vous avez distribués dans divers sacs à main) pendant le vol de Chicago à Paris.

Vous m'écrivez que je suis « une femme de première classe ». Je n'ai pas eu l'occasion de vous voir, mais d'après votre comportement, je peux vous dire ce que vous, vous êtes : un GOUJAT de première classe. Si vous cherchez de nouveau à me contacter, j'informerai la compagnie aérienne de votre attitude intrusive, odieuse et proprement inacceptable.

16

Daisy

Je me sentais libérée. Soulagée d'un grand poids. Nancy avait raison. Mieux valait exprimer sa colère à l'endroit du coupable que garder sa rancune pour soi et la laisser fermenter et virer à l'angoisse.

– Maman, allez, on y va, m'a lancé Coco.

– Attends une minute.

Un nouveau message venait d'arriver dans ma boîte. C'était ma plus vieille amie, la femme qui nous prêtait son appartement à Paris.

De : Solange@com
À : DaisyS@com
Objet : Un service

Bonsoir, Daisy !

J'espère que Coco et toi êtes bien installées, à l'heure qu'il est. Surtout dites-moi s'il y a quelque chose que vous ne trouvez pas ou si vous ne savez plus comment fonctionne la douche, etc. J'ai rempli le frigo de tout ce que tu aimes (le « fromage qui pue », comme tu l'appelles, est dans la boîte verte en verre) et sur la table, j'ai laissé une deuxième clef pour Coco. Tu l'as trouvée ? J'aurais aimé être là pour vous accueillir comme il faut, mais ce boulot à Madrid ne me laisse pas une minute de répit.

C'est d'ailleurs à ce propos que je t'écris. J'ai appelé plusieurs fois à l'appartement, aujourd'hui, mais soit vous étiez sorties (c'est possible), soit vous ne décrochez pas le téléphone (tu es toujours la plus délicate des invitées !) Mais il faut absolument que je te parle. Ce boulot est une vraie galère. Je ne vais pas t'assommer avec des détails, mais il ne nous arrive que des catastrophes, et juste au dernier moment, bien sûr ! Des problèmes techniques, des problèmes artistiques, des coups de gueule de la direction… et aujourd'hui, la goutte d'eau qui fait déborder le vase : j'apprends que le traiteur que j'ai engagé pour la soirée d'inauguration (mardi soir) se décommande, à cause d'un décès dans sa famille. Tu vois où je veux en venir ?

Daisy, ma chérie, je t'en supplie (oui, je sais, ça sonne comme un appel au secours, mais…) oui, je te SUPPLIE de venir à Madrid demain matin pour cuisiner. Tu feras ce que tu voudras et comme tu voudras, mais moi, il faut que je nourrisse 250 des plus grands mécènes de Madrid. Tu peux m'aider ? Pas un repas complet. Juste des petits fours. Du salé ou du sucré, à toi de voir. Réfléchis-y, je t'en prie, et appelle-moi sur mon portable. Le numéro est sur le bureau.

Bien entendu, le musée paiera ta prestation, les billets d'avion et l'hôtel pour Coco et toi. T'ai-je dit à quel point je suis aux abois ?

Ta désespérément dévouée

Solange.

C'était la *catastrophe*, effectivement. Moi qui voulais passer une semaine à Paris pour me détendre ! Mais Solange était une amie très chère. Je l'avais rencontrée l'année où j'avais vécu à Paris. J'avais vingt-six ans alors et je prenais des cours dans une école de cuisine. Elle en avait quarante – ce que je trouvais vraiment vieux, à l'époque – et faisait des études d'Histoire de l'art.

Solange a été la deuxième personne, après moi, à apprendre que j'étais enceinte. Quand je lui ai annoncé ça, en pleurant et en vidant deux bouteilles de vin au cours du dîner, elle m'a donné trois ordres : *Arrête de boire. Arrête de fumer. Arrête de t'apitoyer sur ton sort.* Et elle m'a dit une chose que seule une femme de quarante ans sans enfant pouvait dire à une femme de vingt-six ans enceinte : qu'elle ne regrettait que les choses qu'elle n'avait pas faites dans sa vie, pas celles qu'elle avait faites.

C'est grâce à Solange (et au père de Coco, évidemment) que je suis devenue mère. Cette décision, non seulement d'avoir ce bébé mais de l'élever seule, est la meilleure que j'aie prise de toute ma vie. C'était tellement plus facile ainsi. Pas de compromis à faire, pas de divergences sur les principes d'éducation. Pas de colère d'avoir à assumer plus que ma part de responsabilités parentales. Je n'enviais mes amies mariées qu'en de rares occasions : à Noël et à la fête des pères.

J'ai imprimé l'e-mail de Solange et sur le chemin du retour, je l'ai lu à Coco.

– Je ne peux pas la laisser tomber. Mais d'un autre côté...

– Maman, a coupé Coco, il faut *impérativement* l'aider à sortir de cette galère.

– C'est vrai ? Ça ne t'ennuierait pas d'aller à Madrid ?

– Non ! a-t-elle lancé. En fait, je trouverais ça génial.

Je n'ai pas relevé le « en fait ».

– Oui, mais ma chérie, ça va empiéter sur notre séjour à Paris. On ne pourra peut-être pas faire tout ce que tu...

Coco s'est arrêtée, au milieu du trottoir.

– Maman, a-t-elle martelé en m'arrachant l'e-mail de Solange pour me le mettre sous le nez. Tu n'as pas l'air de comprendre. Il *faut* le faire.

Jour 2 : lundi

17

Webb

Quand je me suis réveillé le lendemain matin, j'ai trouvé un mot de papa : « J'ai dû me lever tôt. Appelle-moi à ton réveil. »

Suivait un numéro local, probablement celui du Palais de Cristal. J'ai appelé avec le téléphone posé sur la table de nuit.

– *Digame*, a dit la personne qui a décroché.

– ¿ Euh, *puedo hablar con Andrew Nelson, por favor* ? ai-je demandé, en me sentant ridicule.

– ¿ *Quien* ?

– *El americano*, ai-je précisé. *Muy grande americano.*

J'essayais de décrire mon père et on aurait dit que je commandais un café. Mais ça a marché.

– *Sí, sí*, a répondu la voix.

– Allô ? a lancé celle de mon père une minute plus tard.

– Salut, c'est moi.

– Tout va bien ? Je commençais à m'inquiéter.

– Ben, tu sais, je ne t'ai même pas entendu partir, ce matin.

– Bon, a répondu mon père. Tu veux que je repasse te

83

chercher à l'hôtel ou tu viens à pied tout seul ? Tu te souviens du chemin, non ? Dis-moi ce que tu préfères.

Ce que je voulais, c'était aller sur ma messagerie, mais je ne pouvais pas lui dire ça.

– Je vais venir te rejoindre.

– OK. Prends un petit déjeuner à l'hôtel. Tu le feras mettre sur le compte de la chambre. Et demande au concierge de te faire un plan pour venir ici, au cas où. N'oublie pas de lui donner un pourboire. Je t'ai laissé quelques euros sur la table.

J'ai vu la pile de billets sur la table basse. Puis mes affaires sales en tas, par terre.

– Je crois que mes fringues vont finir par puer sérieusement, avant la fin de la semaine, ai-je annoncé.

– Ne t'en fais pas. Tout le monde est en tenue de travail ici. Mais on s'occupera de tes vêtements plus tard dans la journée. À tout à l'heure.

On a raccroché. J'étais flatté que papa me fasse confiance pour aller tout seul au musée. Il y a une distinction subtile entre la confiance et l'indifférence. Je me demandais souvent s'il ne s'arrangeait pas pour m'emmener en vacances là où il avait un boulot, exprès pour éviter de passer de longues heures d'affilée avec moi. Après, je me sentais coupable de faire ce procès d'intention à mon père. Il faisait vraiment de son mieux et c'était déjà très bien, compte tenu de son âge. Il s'était retrouvé père célibataire, bien avant que ce ne soit la mode. Et il ne se plaignait jamais d'avoir à m'élever sans aucune aide de ma mère. Mais il faisait en sorte de la voir presque tous les samedis – sans moi.

Je me suis habillé et j'ai fourré les billets dans ma poche. En bas, dans le hall, j'ai vu mon *amigo*, le concierge qui m'a salué d'un chaleureux « *buenos dias* ».

– *Buenos dias* à vous aussi, ai-je répondu. Heu, ¿ *donde está la...* ?

Je ne me souvenais plus comment on disait *restaurant*, alors j'ai mimé quelqu'un qui mange avec une fourchette invisible. Moi qui avais toujours eu horreur des mimes, j'en étais réduit à parler par gestes.

– *Ah ! El restaurante*, a chanté le concierge en pointant l'index vers le fond d'un couloir. *Está por allí.*

– *Gracias.*

J'étais bien décidé à suivre les instructions de papa, mais je n'ai pas pu résister à l'envie d'aller consulter ma messagerie au centre d'affaires. J'ai souri en voyant que j'avais un message de Coco.

De : CocoChi@com
À : Webbn@com
Objet : À propos de ton sac

Salut, Spidey,
Des nouvelles très intéressantes, ici. Demain, ma mère et moi nous allons (tiens-toi bien) à Madrid. Ce serait trop long de t'expliquer pourquoi, mais en gros elle va faire la cuisine pour une amie. (Ma mère est chef, je ne sais pas si je te l'ai dit.) En tout cas, on prend l'avion pour Madrid tôt demain matin pour revenir à Paris après-demain. Autrement dit, on n'y passe qu'une soirée. Mais

c'est mieux que rien, non ? Je me demandais si tu aurais
envie de :
  a) me rencontrer
  b) faire l'échange des sacs
  c) boire un café et/ou manger des tapas (miam !)
  d) voir une corrida (s'il te plaît, dis non)
  e) sauver un taureau de la mort (Sí ! Sí ! Sí !)
  f) faire tout ce qu'il y a dans la liste ci-dessus
  g) ne rien faire de ce qu'il y a dans la liste ci-dessus.
Tu réfléchis et tu me dis. Okay ?

Ta désespérément dévouée,
Coco

P.S. : Je porte ton tee-shirt IL Y A ENCORE QUELQU'UN
QUI T'AIME, BORIS ELTSINE. (C'est le nom d'un
groupe ou c'est une blague ?) T'inquiète. Je vais faire
des courses, tout à l'heure. Mes emprunts de fringues
intempestifs ne seront bientôt plus qu'un lointain souvenir.

18

Coco

J'avais un peu honte d'avoir volé à Solange son « désespérément dévouée ». Mais je trouvais ça marrant, décalé et
légèrement rentre-dedans.

J'ai envoyé le message du cybercafé, après avoir dit à
maman que j'allais acheter des croissants pour le petit
déjeuner. Elle a trouvé que c'était une bonne idée. Elle
avait plusieurs rendez-vous téléphoniques avec son amic
Solange qui était aussi ma marraine.

Quand je suis revenue, elle était toujours au téléphone
en train de débiter la liste de ce dont elle avait besoin :
deux cuisinières, vingt plaques de cuisson, un chauffeur
pour l'emmener faire ses courses, un interprète, etc., etc.

J'ai posé un croissant sur un plateau que j'ai glissé sous
son nez. Elle l'a à peine remarqué.

– Oui, c'est ça. Une cuisinière à gaz et un four électrique,
disait-elle. Et il me faudrait aussi un thermomètre à four,
si tu en trouves un.

Je l'ai déconcentrée en mordant mon croissant à pleine
dents. *Ce serait pas trop génial de rencontrer Webb à Madrid ?
Oui, mais comment expliquer son existence à ma mère ?*

En attendant que la bouilloire électrique de Solange chauffe, j'ai observé ma mère, toujours pendue au téléphone. Elle avait ses lunettes de bibliothécaire sexy, mais les yeux fermés. De sa main libre, elle se massait le front.

– Non, non, non, disait-elle. Tu ne me dois rien du tout, Solange, s'il te plaît. C'est mon métier et puis, ce n'est vraiment pas grand-chose, je t'assure. D'accord ? Ne t'inquiète pas. Oui, nous aussi on t'embrasse. À demain matin.

Elle a raccroché en poussant ce grand soupir qui voulait dire, chez elle : « Ah, ce que ma vie est compliquée ! » Mais je savais qu'au fond, tout au fond d'elle-même, elle était ravie de ce qui lui arrivait et de l'importance que ça lui donnait. Ma mère s'épanouit chaque fois qu'elle doit voler au secours de quelqu'un, surtout s'il s'agit de faire la cuisine. En la regardant discuter au téléphone avec Solange, je me suis rappelé l'air qu'elle avait quand j'étais petite et qu'elle m'apportait mon casse-croûte à l'école, les rares fois où je l'avais oublié à la maison. Elle avait le sentiment d'être une bonne mère, dans ces moments-là.

Je sais, je devrais faire davantage d'efforts pour qu'elle se sente indispensable. Quand je lui disais que je n'avais plus besoin d'elle, ça la mettait dans tous ses états. Pourtant, c'est bien ça, grandir, non ? Un oiseau en bonne santé peut quitter le nid ? Des racines, des ailes, et tous ces clichés archinuls ?

– Je t'ai pris un croissant, ai-je dit en soufflant sur mon thé trop chaud. J'espère qu'il est comme tu aimes.

– Voyons, a-t-elle murmuré en inspectant la chose de son œil de rapace, avant de mordre dedans. Oh oui, très bon. Croustillant mais pas mou.

En dépeçant son croissant, elle a continué à exprimer tout haut ses inquiétudes et ses doutes quant à sa mission à Madrid, en m'énumérant les petits fours qu'elle pouvait faire et en se demandant ce qui serait le mieux.

– On a encore le temps de faire un peu de shopping, aujourd'hui ? lui ai-je demandé, tout en picorant les miettes de croissant dans mon assiette.

– Bien sûr. Il faut absolument que tu aies quelque chose à te mettre, à Madrid.

Tu m'étonnes ! Il faut que je sois super bien sapée, oui !

Après la douche, nous avons pris le métro jusqu'aux Galeries Lafayette, ce magnifique grand magasin, avec sa coupole en vitraux de couleur, qui donne l'impression de faire ses courses à l'intérieur d'une lampe Tiffany.

Je n'avais jamais réalisé à quel point les Françaises prennent la mode au sérieux. Même pour aller faire leurs courses, elles sont chics. Et moi qui portais le même jean depuis trois jours ! Pour un peu, on m'aurait prise pour une clocharde, à côté d'elles.

– On va commencer par le troisième étage, a déclaré maman après avoir consulté la liste des rayons.

Pas étonnant qu'elle ait voulu passer par là d'abord : c'était le rayon hyper classe des créateurs ultrachic.

À peine arrivée en haut de l'escalier roulant, elle est tombée en arrêt devant un chemisier en soie noire Anne Fontaine. Elle a pris aussi une tunique crème.

– Je croyais qu'on faisait des courses pour *moi*, ai-je lancé, d'un ton involontairement hargneux.

– Mais c'est ce qu'on fait, a répliqué maman qui continuait d'avancer avec ses deux chemisiers sur cintre. Viens, on va chercher de jolis dessous pour toi.

Le rayon lingerie, au troisième étage des Galeries Lafayette, est aussi grand que deux ou trois boutiques de Victoria's Secret réunies. Mais là, pas de préados en train de glousser devant des Wonderbra ringards et des rembourrages en mousse. Cet endroit était rempli de vieilles dames – disons de trente, quarante et cinquante ans – en train d'acheter des soutiens-gorge et des slips en soie, et des porte-jarretelles bizarroïdes.

– Tu vas essayer ça.

Maman me tendait un soutien-gorge bleu nuit.

– Oh, et celui-ci aussi est joli. Mais il faut l'essayer. Et ça, c'est adorable. Essaie-le aussi. Et puis celui-ci, tiens...

Dans le salon d'essayage, je n'avais pas encore enlevé ma chemise (ou plus exactement celle de Webb) qu'une vendeuse passait la tête sur un côté du rideau et me tapotait l'épaule.

– Américaine ?

– Oui*[1], ai-je répondu.

Je réfléchissais au moyen d'éviter de me déshabiller devant cette femme.

– Mmm, comment dit-on*... ?

– Non, non, m'a interrompue la vendeuse, en balayant ma question d'un revers de main. Ça il faut essayer. C'est obligé.

Alors j'ai obtempéré. J'ai essayé au moins vingt-cinq

---

1. Tous les mots ou expressions suivis d'un astérisque sont en français dans le texte (NdT).

soutiens-gorge. C'est marrant de faire du shopping à Paris. Les vendeuses des grands magasins ne vous laisseront *jamais* acheter un soutien-gorge, qui ne vous aille pas parfaitement, point de vue taille et forme. Je trouvais ça à la fois agaçant et plaisant. Je suis sortie de ce salon d'essayage avec trois soutiens-gorge en soie et les slips assortis ; je n'en avais jamais vu d'aussi beaux.

– C'est dingue cet endroit, ai-je dit à maman qui s'était choisi elle aussi quelques parures en soie.

– Je t'avais prévenue, a-t-elle susurré d'une voix chantante. Tu sais combien les Françaises dépensent en lingerie ?

– Maman, pas si fort ! ai-je soufflé, tandis que nous reprenions l'escalier roulant.

Mais elle a continué sur sa lancée :

– En France, la lingerie représente vingt pour cent du budget que les femmes consacrent à l'habillement. Tu comprends, maintenant, pourquoi je t'ai dit d'emporter tes soutiens-gorge et tes slips les plus usés ? Je fais pareil chaque fois que je viens à Paris. Ça te permet de finir tes vieux sous-vêtements et de les remplacer par des neufs, plus jolis.

– Je te rappelle que je n'ai aucun sous-vêtement à jeter pour la bonne raison que je n'ai pas mes bagages.

– Eh bien, a répliqué maman en montrant mon sac en papier plein de soutiens-gorge et de slips assortis, maintenant tu as quelques belles pièces à te mettre.

Nous sommes descendues au deuxième étage, rayon de la Mode Tendance, traduisez : des vêtements plus cool et moins chicos que ceux du troisième.

On a trouvé toutes les deux des choses qui nous plaisaient et qu'on a essayées dans des cabines mitoyennes. J'ai passé un jean et des vestes courtes cintrées. Je me suis dit qu'à Madrid je pourrais porter une veste avec un petit haut sans manches dessous, si j'en trouvais un dans les affaires de Solange. Mais j'avais peur que ça fasse un peu trop olé olé. Pour rencontrer Webb je voulais mettre un truc cool mais chic, à la mode européenne.

– Tu crois que Solange me prêterait un foulard pour porter avec ça ?

– Bien sûr. Tourne-toi. Cette veste te va très bien. Mais, tu la porteras aussi chez nous ?

– Évidemment ! ai-je répliqué avec assurance, tout en me demandant si j'oserais ou non.

– Le lin, ça se froisse terriblement, m'a avertie maman.

– C'est super les trucs froissés, ai-je objecté. C'est sûr que je porterai ça à la prochaine rentrée. Et puis, n'oublie pas, je vais toucher cinq cents dollars de la compagnie aérienne.

– C'est vrai. Il faut qu'on t'achète un beau pantalon noir, aussi.

– Un pantalon noir ? Pour quoi faire ?

– Pour mettre avec un de mes chemisiers blancs, quand tu vas m'aider à faire le service de la soirée d'inauguration de Solange.

Attends, j'y crois pas !

J'ai essayé de ne pas montrer ma panique.

– En fait…, ai-je commencé.

– Arrête de dire « en fait » à tout bout de champ, a tempêté maman. Dis ce que tu as à dire, un point c'est tout.

– D'accord, ai-je aboyé à mon tour. Alors voilà : il n'est pas question que je fasse serveuse pour toi à Madrid.

– Ah oui, eh bien c'est ce qu'on va voir, a-t-elle rétorqué, d'un ton qui n'admettait pas de réplique.

Oh, génial. Ça, ça veut dire que c'est déjà tout vu. Je vais être obligée de servir au buffet de la soirée d'inauguration de je ne sais pas quoi à Madrid. Autrement dit, si je veux rencontrer Webb, ce sera forcément pendant cette soirée de nazes. Et il va me voir dans un uniforme de serveuse, c'est complètement nul. Il n'en est PAS question.

Il fallait faire machine arrière toute. Il fallait que je prévienne Webb qu'on ne pourrait pas se voir, que finalement ça ne marchait pas.

Pendant que ma mère achetait des produits de beauté au rez-de-chaussée, j'ai filé au rayon multimédia, au quatrième étage et j'ai trouvé un ordinateur portable en démonstration, avec une connexion Internet. J'avais la ferme intention d'aller sur ma messagerie et d'envoyer un e-mail à Webb, pour lui dire qu'on essaierait plutôt de se voir à Saint Louis en mai. Je voulais mettre comme objet « Rendez-vous à Saint Louis ? ».

Je ne m'attendais pas à trouver le message suivant :

De : Webbn@com
À : CocoChi@com
Objet : Re : À propos de ton sac
Ma réponse :
h) tomber fou amoureux.
À toi de jouer, Esmeralda.

19

Andrew

J'avais assez de soucis comme ça, je n'allais pas en plus m'inquiéter pour Webb.

Mais quand même, au bout de deux heures et demie d'attente, j'ai craqué. Je suis retourné à l'hôtel où j'ai trouvé mon fils, seul dans la salle multimédia, hypnotisé par un écran. Près de lui un sandwich à moitié mangé, posé sur une serviette en papier tachée de graisse.

J'étais partagé entre le soulagement et la colère. Nous étions en Europe, bon Dieu ! Il aurait dû aller au Prado se gaver d'œuvres d'art. Ou siroter une bière en terrasse, sur la Plaza Mayor. Ou venir me rejoindre au Palais de Cristal où je lui avais dit de venir !

S'il voulait à tout prix me désobéir, que ce soit au moins en faisant quelque chose de plus intéressant que de s'abrutir avec des jeux vidéo débiles ou Dieu sait quoi encore. Pourquoi n'était-il pas en train de regarder passer les belles femmes et de tomber amoureux, comme je le faisais à son âge ?

Avant de devenir un goujat de première.

Il fallait que j'arrête de penser à ce maudit bout de papier.

J'ai fait l'effort de me reconcentrer sur Webb. Depuis qu'il était ado, mon fils s'arrangeait toujours pour passer le moins de temps possible avec moi. Très bien. Je pouvais le comprendre. Il n'avait pas envie d'être avec moi, soit. Mais si au moins il avait passé ce temps-là avec quelqu'un ou quelque chose d'autre qu'un ordinateur ! N'avait-il rien de mieux à faire, quand nous n'étions pas ensemble, que de s'adonner à des activités aussi lamentables ? Voilà mot pour mot ce que je m'apprêtais à lui dire quand j'ai ouvert la porte du centre d'affaires.

– Salut, p'pa, m'a lancé Webb. Ça va ?

La puanteur, une épouvantable odeur de chaussettes sales, de chorizo et d'adolescent, m'a pris à la gorge.

– Bon Dieu, Webb, ai-je articulé en me bouchant le nez. Il faut qu'on aille t'acheter des vêtements. *De toute urgence.*

20

Daisy

Je ne regrettais pas d'avoir fait croire à Coco que c'était grâce aux cinq cents dollars de la compagnie aérienne qu'elle avait pu s'acheter d'aussi belles choses. En un sens, c'était plus drôle, pour elle, de faire des emplettes avec cette idée en tête.

Mais j'avoue que, d'un autre côté – le côté de moi que je n'aime pas trop –, je pensais : *Tu te rends compte, Coco ? C'est moi qui paie tout ça. Ce n'est ni le Père Noël ni la compagnie aérienne, c'est moi !*

Chose que je ne pouvais pas lui dire, évidemment. De même que je n'avais pu m'empêcher de lui choisir un joli pantalon noir, quand elle avait le dos tourné. Solange ne serait pas d'accord pour qu'elle soit en jean à la soirée d'inauguration. Et il était magnifique, ce pantalon. Coco pourrait le porter pendant des années. Un jour, plus tard, elle me remercierait de l'avoir acheté.

Ou pas. Aurais-je jamais sa reconnaissance pour les milliards de petites choses que j'avais faites pour elle, sans qu'elle s'en rende vraiment compte ? Ou bien le métier de parent était-il aussi ingrat qu'il le paraissait ?

Après tout, quelle importance ? Nous étions à Paris et nous passions du bon temps – *enfin*. J'étais soulagée qu'elle ait été aussi conciliante (ce qui n'était pas son fort) et accepte de venir à Madrid. Je ne pouvais vraiment pas laisser tomber Solange. Elle avait été si généreuse en me prêtant son appartement pendant des années. Et moi, qu'est-ce que cela me coûtait d'aller concocter quelques amuse-gueules pour bichonner deux cents mécènes ?

Le seul problème était de savoir de quoi ces gens avaient envie. Oh là là ! Ça, c'était *mon* point faible.

Coco et moi avons déjeuné un peu tard, et j'ai profité de ce moment de répit pour lui demander son avis : de quoi ces gens pourraient-ils avoir envie ? Nous étions attablées devant des *moules-frites* dans une brasserie, près de chez Solange. J'avais toujours eu un faible pour les moules marinières telles qu'on les servait à Paris, dans un poêlon en émail, avec une assiette de frites salées et une bière.

– De quoi ils auront envie ? a répété Coco, en sortant une moule de sa coquille noire. Avant de parler d'*envies*, il faudrait d'abord parler de *besoins*. Et pour ça, il faut partir d'Abraham Maslow et de sa hiérarchie des besoins.

– Ah oui ? Tu peux me rafraîchir la mémoire ?

Moi, je voulais parler de ce que ces gens auraient envie de *manger* à la soirée inaugurale. Mais j'étais contente de cette digression dans notre conversation. À la maison, Coco et moi pouvions rester des semaines sans vraiment parler. Ça me faisait plaisir qu'elle s'exprime, pour une fois.

– Alors, c'est un cours qui remonte à l'année dernière, a déclaré Coco d'un ton docte. Donc, je ne suis pas sûre de me souvenir de tout. Mais ce type, Abraham Maslow, a établi une théorie sur les besoins de l'homme.

Coco s'intéressait à la psychologie. Comme toutes les filles de son âge, elle était attirée par l'étude des psychoses et des névroses. Elle s'amusait à apprendre les signes avant-coureurs de chacun de ces troubles et à déterminer s'il y en avait un qui fût assez plaisant pour s'appliquer à elle ou assez déplaisant pour s'appliquer à sa mère.

– Il dit, a poursuivi Coco, qu'ils forment une pyramide qui aurait pour base les besoins physiologiques, la nourriture, l'eau, l'air, le sommeil. Ensuite il y a les besoins de sécurité. Puis les besoins de survie sociale : la famille, l'amour et tout ça. Après viennent les besoins d'estime. Et au sommet il y a le besoin d'accomplissement de soi, c'est-à-dire que là, les gens éprouvent le besoin de développer ce qu'ils sont vraiment. C'est à peu près ça.

J'avais cessé d'écouter quand elle en est arrivée aux besoins de survie sociale, famille et amour. Ça m'a rappelé un professeur que j'avais eu à la fac. Un prêtre jésuite. Malheureusement, je ne me souvenais pas de son nom. Il disait la messe à 10 heures du soir le dimanche, dans une minuscule chapelle, au milieu de ce campus du Wisconsin où il faisait si froid.

Dans ses prêches, ce vieux jésuite parlait toujours du désir et de notre attachement à nos désirs. Pour lui, le désir humain le plus fondamental était celui d'être désiré par quelqu'un que l'on désirait. Je me souviens que ce prêtre pleurait presque, quand il en parlait.

Mon Dieu, on était donc si seul au monde ? J'ai bu une autre bière. Je n'en raffolais pas, mais les *moules-frites* étaient traditionnellement servies avec de la bière et je m'étais approprié celle de Coco.

Ma fille parlait toujours.

– Donc, Maslow dit qu'on reconnaît les gens en plein accomplissement de soi – c'est-à-dire ceux qui sont au sommet de la pyramide des besoins – à ce qu'ils sont spontanés, non conformistes et amateurs d'expériences paroxystiques.

– Rappelle-moi ce qu'est une expérience paroxystique.

– *Ma-man !* a gémi Coco exaspérée par mon ignorance. Tu sais bien, c'est quand tu passes un moment hyper génial et que tu es vraiment, vraiment heureux, transporté et totalement, genre, transformé. Comme maintenant.

Elle s'est penchée au-dessus de la table et s'est approchée tellement près que nos visages se touchaient presque.

– Là, tu vois, on vit carrément une expérience paroxystique.

J'ai eu envie de lui prendre le visage à deux mains pour le couvrir de baisers. Elle semblait tellement heureuse. Et optimiste. C'était *ma* fille. J'adorais sa capacité à ressentir une telle joie.

– Et à Madrid, ça va être génial aussi, hein ? ai-je poursuivi, prudemment, consciente de pousser le bouchon peut-être un peu trop loin. Ça va être drôle de voir Solange, non ?

– Oui, a-t-elle admis du bout des lèvres, avant de passer un grand soupir. Ensuite elle a pris une profonde inspiration, presque théâtrale.

– Mais il faut que je te dise quelque chose, en fait.

Tant pis pour le « en fait ». J'étais trop curieuse de ce qui allait suivre. Oh, mon Dieu. C'était donc ça, sa mauvaise humeur ? Mais elle n'avait pas de vie sexuelle, pourtant. (*Peut-être que si, après tout.*) Elle ne pouvait quand même pas être enceinte. (*Quoique...*)

– C'est vraiment important, a-t-elle ajouté.

Voilà. Je savais bien que j'avais des raisons de me méfier de ce jeune garçon, Jack, qu'elle voyait souvent pendant les vacances d'hiver. Ses copains gays étaient autrement plus gentils, plus intelligents et plus matures que ses copains hétéros. Ou alors, je pensais ça parce que je les considérais comme inoffensifs...

– Qu'est-ce qui se passe, ma chérie ? ai-je demandé en lui prenant la main, plus pour me donner une contenance que pour la réconforter.

Ma respiration était de plus en plus haletante et je cherchais mentalement qui ça pouvait bien être. *Je vais le tuer. Qui que ce soit, je vais l'étrangler.*

Coco a poussé un gros soupir.

– Je ne peux pas t'aider pour le service, à Madrid.

J'étais aussi furieuse que soulagée.

– Et pourquoi ça ?

– Parce que je vais avoir l'air d'une pauvre naze en pantalon noir et en chemisier blanc, a-t-elle déclaré sans détour.

– Mais enfin Coco, c'est ridicule !

– Maman, s'il te plaît ! Ne m'oblige pas à faire ça. Tu ne peux pas me forcer. Ce serait catastrophique pour mon amour-propre. »

Mais qu'elle aille au diable, avec son amour-propre ! Oh, ç'aurait été plus facile pour moi de ne pas insister, bien sûr. Mais ne me devait-elle pas quelques heures d'un travail pas trop fatigant, pour me remercier de l'avoir amenée à Paris ? Et Solange ? Après tous les cadeaux qu'elle avait envoyés à Coco, au fil des années – pulls en cachemire, lithographies signées, tous les *Harry Potter*, dans l'édition originale, s'il vous plaît ! Et c'était là sa récompense ? Cette rumination nombriliste sans fin et sans objet ? Cet égocentrisme grossier ?

– Coco, je regrette, mais j'ai *vraiment* besoin de ton aide. Et Solange aussi.

Ulcérée, elle s'est ratatinée sur sa chaise en regardant fixement son assiette. Elle avait les larmes aux yeux.

– Tu veux *foutre* ma vie en l'air, c'est ça ? Tu veux que le monde entier soit seul et malheureux. Comme toi.

J'ai failli répondre : *Sois gentille. Tu n'as personne d'autre au monde que moi.*

Encore qu'elle avait des grands-parents, bien sûr – mes parents –, qui la gâtaient au-delà de toute mesure. Mais ils n'étaient pas éternels. Et comme j'étais fille unique, Coco n'avait ni oncle ni tante. Ni cousin.

J'aurais peut-être dû adopter un enfant pour qu'elle ait quelqu'un, une épaule sur laquelle s'appuyer ou pleurer quand la vie était cruelle. Mais je ne l'avais pas fait. Elle était condamnée à ma seule présence. Ne comprenait-elle pas ? *Tu n'as personne d'autre au monde que moi.* Moi et mes merveilleux amis comme Solange. Mais surtout moi. *Et c'est comme ça que tu me traites ?*

Je fis un effort pour rester courtoise.

– Qu'est-ce que le fait que je sois célibataire a à voir là-dedans ?

– *Tout* est lié, maman, a-t-elle déclaré en jetant sa fourchette sur la table. L'univers est un *tout*. Tu sais bien que j'essaie de devenir bouddhiste !

Aïe ! Aïe ! Aïe ! J'ai vidé d'un trait ce qu'il restait de bière dans le verre de Coco.

21

Webb

Je voyais bien que papa en avait par-dessus la tête de moi.

– Ça fait deux jours qu'on est à Madrid et c'est la première fois que tu sors de l'hôtel ? a-t-il lancé.

On était au Corte Inglés, le grand magasin de Madrid. Papa me regardait fouiller dans une pile de jeans posés sur une table du rayon homme. J'essayais d'en trouver un qui n'ait pas de broderies sur les poches arrière. *Qu'est-ce qu'ils ont les Espagnols avec leurs espèces de jeans disco ?*

– Écoute Webb, tu n'avais peut-être pas envie de faire ce voyage. Tu aurais peut-être préféré rester à Saint Louis pour voir tes copains. Mais maintenant tu es là et je voudrais que tu en profites au maximum.

– D'accord, ai-je dit, en me faisant à l'idée que je ne trouverais jamais un Levis normal. Après tout, pour mon rendez-vous avec Coco, il valait peut-être mieux que je remette le jean que je portais depuis mon départ de Saint Louis plutôt qu'un de ces pantalons de cow-boy ridicules truffés de broderies et de strass.

– Je ne peux pas à la fois travailler et me faire du souci

pour toi, a continué papa. Tout ce que je te demande, c'est d'être au moins aimable.

– Désolé, ai-je lâché.

Ou alors, je pourrais laver, dans la baignoire de l'hôtel, le jean que j'avais sur moi, et le sécher au sèche-cheveux. Ce serait mieux que ces trucs bling bling. Après, j'ai commencé à regarder les chemises. Au moins, elles étaient normales. J'ai attrapé deux tee-shirts bleus unis qui avaient l'air de la bonne taille.

– Tu aurais pu au moins me téléphoner pour me prévenir que tu ne venais pas me rejoindre au hall d'exposition, ce matin, continuait papa.

– Désolé.

Ça aurait été tellement plus simple si j'avais pu lui expliquer pourquoi j'étais resté à l'hôtel : parce que je faisais des plans pour voir une fille que j'aimais vraiment bien. Mais je ne pouvais pas lui dire ça. Il en aurait fait tout un fromage.

– Tu es désolé, j'ai compris, a rétorqué papa. Mais...

Il regardait, d'un air effaré, les vêtements que j'avais sur le bras.

– Il va te falloir quelque chose de plus habillé pour la soirée d'inauguration.

Oh là, là, la soirée d'inauguration de l'exposition ! J'avais complètement oublié. Comment j'allais me sortir de cette galère ?

– Écoute, Webb, a-t-il continué. Demain soir, ça va être le grand jeu. Il va y avoir plein de monde à la soirée : des artistes, des mécènes, le comité de direction du musée, et j'en passe. Il faut que je discute avec eux, il faut que je sois disponible pour répondre à des questions ou résoudre des problèmes. Je ne peux pas en même temps me demander où tu es et ce que tu fais.

– Je vois, ai-je dit.

Et là, j'ai eu l'idée du siècle.

– Tu veux que je t'envoie un message toutes les deux heures ? Pour que tu saches que je vais bien ?

Son visage est devenu un point d'interrogation.

– Je croyais que tu avais oublié ton portable au lycée.

– C'est vrai. Mais je peux t'envoyer un e-mail de n'importe où. Il y a des connexions Internet partout. À l'hôtel, dans les cafés, et dans l'expo aussi, sûrement.

– Bien sûr, a dit papa, en souriant (son premier sourire depuis des heures). C'est une expo sur le numérique. Je suis certain qu'il y aura des ordinateurs où tu pourras te connecter. Bien vu, Webb.

J'ai eu envie de dire à papa « tope là », pour sceller notre accord sur ce super plan, ce qui me laissait entièrement libre de tout annuler, une fois au musée.

Il s'est dirigé vers le rayon des costumes. Quelques minutes plus tard, il me montrait un blazer bleu marine à ma taille.

– Désolé, j'ai dit en secouant la tête. Ça va pas être possible.

– Webb, tu ne peux pas venir à cette soirée en tee-shirt, a répliqué mon père. Tu mettras cette veste avec une chemise blanche et un jean.

– Je n'ai pas de chemise blanche. Elle était dans mon sac.

– Eh bien, on va t'en acheter une. Qu'est-ce que tu as comme chaussures ?

– Mes Converse, ai-je dit en montrant mes pieds.

– Je préférerais du cuir, a répondu papa, se grattant le menton, comme font les profs. Mais c'est une expo sur le postmodernisme. Celles-ci feront l'affaire.

Très bien. De toute façon, je le laisse acheter ce qu'il veut. Aucune importance. Je me changerai dans les toilettes s'il le faut.

Mon père devait retourner bosser au Palais de Cristal.

– On se retrouve à l'hôtel à 7 heures pour dîner, a-t-il dit en me mettant dans un taxi. On va manger une paëlla. Tu aimes ça, tu te souviens ?

Je me souvenais, oui. Mais je ne pensais qu'à une chose : aller voir ma messagerie. Je mourais d'envie de savoir comment Coco avait réagi à ma suggestion. Pourquoi pas tomber amoureux, hein ? Pourquoi pas ?

Évidemment, c'était facile d'avoir du culot à distance. Mais franchement : j'avais dix-sept ans, quand même. Et j'étais en Europe. C'était le moment de tomber amoureux, non ?

À peine arrivé à l'hôtel, j'ai posé les sacs du Corte Inglés par terre, dans le centre d'affaires, et je me suis connecté sur ma messagerie. Un nouveau message.

De : CocoChi@com
À : Webbn@com
Objet : Quel sac de nœuds...
Spidey, tu es adorable. Tomber amoureux, ça pourrait être marrant. Carrément ! (Et, en toute confidentialité, c'est un truc que je n'ai jamais fait encore. Et toi ?) Mais grrr, scrogneugneu et merde* ! Je crois que ça ne va pas marcher. J'ai une mère poule qui s'est métamorphosée en hélicoptère : elle fait du sur-place au-dessus

de moi, en permanence. Et en plus elle vient de péter un câble. Je crois qu'elle ne va pas me lâcher d'une semelle quand on sera à Madrid. Je suis vraiment, vraiment DÉSOLÉE !!!! Ce n'est pas par rapport à toi, je te promets : je n'ai pas changé d'avis. Écris-moi vite pour me dire que tu n'es pas fâché. Moi, je suis dans tous mes états. On se croirait dans un film.

Coco

22

Coco

Je ne sais pas si c'était à cause du décalage horaire, des moules qu'on avait mangées le midi ou du stress à la perspective de voir – ou de ne pas voir – Webb. Mais en tout cas je n'avais absolument pas faim, ce soir-là. Maman non plus. En revanche, je voulais relever mes e-mails.

– En fait, je mangerais bien un truc sucré, ai-je annoncé à maman, en sortant du métro pour regagner l'appartement. Je peux aller nous chercher des pâtisseries en face de chez Solange, si tu veux.

– Bonne idée. Prends-moi un gâteau ou une tarte au citron. Moi, il faut que je téléphone à Solange.

– Impec, j'ai conclu. Je serai là-haut dans dix minutes.

Dès que je l'ai aperçue ouvrir la porte de l'immeuble de Solange, j'ai filé au cybercafé pour voir si Webb avait répondu. Il avait répondu.

De : Webbn@com
À : CocoChi@com
Objet : Re : Quel sac de nœuds...

Fâché non, juste déçu. Moi qui rêvais de voir une péniche passer sur la Seine...

(Eh non, moi non plus je ne l'ai jamais fait.)

Je t'embrasse.

Webb

Je t'embrasse? Je n'arrivais pas à détacher mon regard de ces deux mots. Trop top, ce garçon ! Bon, il fallait absolument que ça marche.

De : CocoChi@com

À : Webbn@com

Objet : Re : Re : Quel sac de nœuds...

Eh oui, moi aussi je suis super déçue !

Je t'embrasse.

Coco

J'ai relu mon message avant de l'envoyer. Venant de moi, ce « je t'embrasse » ne faisait pas très naturel. Je l'ai effacé. Mais, sans rien, c'était un peu sec, du coup. Alors, j'ai aussi effacé mon prénom et j'ai cliqué sur ENVOYER.

Sa réponse est arrivée dans la foulée.

De : Webbn@com

À : CocoChi@com

Objet : Re : Re : Re : Quel sac de nœuds...

Je peux te proposer un plan B ? (Dis-moi si je perds mon temps.)

De : CocoChi@com
À : Webbn@com
Objet : Re : Re : Re : Re : Quel sac de nœuds...
Non ! Enfin oui ! J'écoute ton plan. J'ai TROP envie de te connaître.

De : Webbn@com
À : CocoChi@com
Objet : Re : Re : Re : Re : Re : Quel sac de nœuds...
Alors voilà. Si, au lieu de se voir à Madrid, on se voyait à Paris ? Tu crois que tu pourrais convaincre ta *madre* que tu as un truc qui ne va pas – je sais pas, moi, une poussée de lèpre aiguë, genre – et que tu es trop malade pour prendre l'avion pour Madrid dm1 ? Dans ce cas-là, je pourrais sauter dans un train le matin pour être à Paris dm1 aprèm. Les parents n'y verraient que du feu. Je serais de retour avant que ta mère revienne ou que mon père remarque que je suis parti. Top ou nul ? Tu me dis.

De : CocoChi@com
À : Webbn@com
Objet : Re : Re : Re : Re : Re : Re : Quel sac de nœuds...
WAOUH ! Tu es génial ! Ça existe les trains Madrid-Paris ?

110

De : Webbn@com
À : CocoChi@com
Objet : Re : Re : Re : Re : Re : Re : Re : Quel sac de nœuds...

Je suis en train de regarder les horaires. Départ dm1 mat à 8 h 45. Arrivée Paris à 22 h 41. Départ de Paris le lendm1 mat à 7 h 10. Arrivée Madrid à 19 h 42.

De : CocoChi@com
À : Webbn@com
Objet : Re : Re : Re : Re : Re : Re : Re : Re : Quel sac de nœuds...

WAOUH ! Et re-WAOUH ! Chiche ! ! ! !

De : Webbn@com
À : CocoChi@com
Objet : Re : Re : Re : Re : Re : Re : Re : Re : Re : Quel sac de nœuds...

Tu es sérieuse ?

De : CocoChi@com
À : Webbn@com
Objet : Re : Re : Re : Re : Re : Re : Re : Re : Re : Re : Quel sac de nœuds...

Grave. Tu peux quand même regarder tes e-mails demain matin avant de partir ? Juste pour être sûr que je vais vraiment réussir à échapper au voyage à Madrid ? Ça va pas être facile, mais je vais essayer. À fond ! Ce qui est bien, c'est que j'ai déjà eu une grosse fièvre,

111

une fois, en prenant l'avion pour L.A. avec ma mère, au point de tomber carrément dans les pommes pendant l'atterrissage. Finalement c'était rien du tout, mais ma mère était complètement flippée. Alors, tu vois, il y a des chances que ça marche.

De : Webbn@com
À : CocoChi@com
Objet : Re : Re : Re : Re : Re : Re : Re : Re : Re : Re : Re : Quel sac de nœuds...
Essaie, Fille-tunique. Fais-le. C'est tout ce que je te demande. Il faut que nos orbites se croisent.

De retour à l'appartement, j'étais complètement H.S. Heureusement, maman était encore au téléphone. Quand elle a raccroché, elle m'a regardée fixement en demandant :

– Et les pâtisseries ?

– Oh, j'ai oublié.

– Ça ne va pas, ma chérie ? Tu es toute pâle.

Je me suis laissée tomber à plat ventre sur le futon.

– J'ai une drôle de sensation dans le ventre.

Je ne bluffais qu'à moitié.

23

Andrew

J'ai passé le reste de la journée à jouer les pompiers, dans l'espace de l'exposition.

Quelqu'un – un ouvrier mécontent, à mon avis – avait visiblement versé du ciment dans les cuvettes des toilettes des femmes. Il a fallu trouver, au pied levé, un plombier industriel pour nettoyer les évacuations. Pendant ce temps, un électricien travaillait sur les stores qui ne voulaient fonctionner que par intermittence. Mais tout serait résolu le lendemain soir pour l'inauguration.

Ma plus grande inquiétude concernait l'exposition en elle-même. L'art était-il de plus en plus mauvais ou de plus en plus désabusé ? Cette installation, avec tous ses écrans et ses effets numériques sophistiqués, me laissait complètement froid.

Si ces artistes voulaient me convaincre que la quête de l'amour à l'ère postnumérique était plus passionnante, plus mystérieuse, plus... Bref, tout ce que l'amour devrait être, eh bien c'était raté. Aucune de ces œuvres ne passait le test Jimmy Webb, qui était l'aune à laquelle je jugeais toutes les œuvres d'art.

Mon test consistait à comparer l'œuvre en question à la chanson *Wichita Lineman*, qui repose sur un juste équilibre entre ce que l'on comprend et ce qui vous échappe, un mélange parfait qui vous prend aux tripes. L'art est censé vous interroger et vous toucher. Rien de ce que voyais là ne suscitait chez moi la moindre émotion. Mais c'était peut-être justement là le hic. Peut-être l'amour était-il impossible à l'ère postnumérique. Peut-être la passion amoureuse était-elle passée de mode.

Ou alors j'étais trop vieux pour la comprendre – ou, pire encore, pour la vivre. À quand remontait ma dernière émotion amoureuse ? Quelle femme, dans le passé, m'avait fait autant d'effet qu'une chanson de Jimmy Webb ? Moira, à l'université ? Blythe, pendant mon stage en entreprise à New York ? Frances, plus tard, à Vancouver ? Elles en ont toutes eu marre de mon incapacité à m'engager à fond dans une relation, et je ne peux pas leur en vouloir. Après ça, Laura est tombée enceinte de Webb, et ça a tout changé.

Mais au diable le passé ! Il fallait que je me concentre sur l'expo.

Une fois que les stores se sont remis à fonctionner correctement, je suis rentré à l'hôtel changer de chemise pour aller dîner. Dans la chambre, Webb était en train de regarder un match de foot à la télé.

– Tu es toujours partant pour une paëlla ? lui ai-je demandé, tout en boutonnant ma chemise.

– Mmh mmh.

– Alors, où as-tu passé l'après-midi, finalement ?

J'espérais qu'il allait me surprendre. « Ouais, mmh » a été sa réponse. Ses yeux n'ont pas quitté l'écran.

– Qu'est-ce que tu as fait de beau cet après-midi ?

– Euh, rien de spécial. Mais demain, j'ai prévu des trucs. Ah, au fait, papa, tu peux me passer quelques euros ?

Je lui ai donné une liasse de billets. Bon, au moins il avait mis ses vêtements neufs.

De l'hôtel, nous avons marché jusqu'à la Plaza de Santa Ana, une vieille place pittoresque, pleine de musiciens de rue et de bars à tapas. J'ai choisi le restaurant où il y avait le plus d'autochtones.

– Je vais prendre du vin, ai-je annoncé à Webb, tandis que nous nous installions à une petite table, au fond de la terrasse. Tu peux en avoir un verre, si tu veux. Tu as le droit, ici.

– Bof, j'y tiens pas, a-t-il répondu. Je prendrai juste un Coca.

En attendant la paëlla, je ne pouvais détacher mes yeux de Webb. Pendant des années, je m'étais efforcé de lui apprendre à être prudent, à ne pas prendre trop de risques. Je voulais l'aider à faire les bons choix, pas comme sa mère.

Mais j'y étais peut-être allé un peu fort. Je craignais d'avoir plutôt fabriqué un jeune poltron ou, pire, un ecto-plasme.

– Qu'est-ce que tu as préféré, jusqu'à présent, dans ce voyage ? lui ai-je demandé.

Pas de réponse.

– Webb, quel est le truc le plus sympa que tu aies fait à Madrid pour l'instant ?

Il n'a pas davantage réagi. Il semblait ailleurs. Je crois

qu'il n'entendait même pas l'impatience pointer dans ma voix.

– Webb, je te parle !

– Désolé, a-t-il lâché. Je pensais à autre chose.

Penser ! C'est bien généreux comme terme, me suis-je dit en me servant un deuxième verre de vin. Puis, l'alcool aidant, je me suis fait cette réflexion déprimante : *Qui suis-je pour estimer que tel ou tel est un emmerdeur ? Moi, le goujat de première.*

J'avais glissé un billet doux dans le sac à main d'une femme. Et alors ? Était-ce un crime ? D'un côté je savais bien que non. Mais une autre part de moi-même, la part la plus honnête, se demandait si ce n'était pas le début de la fin. Car non seulement il y avait ce ratage (le billet dans le sac à main) mais, en plus, je ne comprenais manifestement pas ou n'appréciais pas l'exposition *L'Amour à l'ère postnumérique*. Je devais me faire vieux. Je n'avais peut-être plus l'œil pour l'art moderne. En serais-je bientôt réduit à défendre l'œuvre de Thomas Kinkade[1] ? Faute d'avoir pressenti que mon geste, que je tenais pour romantique, était peut-être déplacé. J'avais donc perdu le nord, dans ce domaine-là aussi ? Allais-je me mettre à pincer les fesses des femmes dans les ascenseurs ? Ou à fréquenter la chaîne de restaurants Hooters, avec ses serveuses en short et en débardeur échancré ? Étais-je en passe de devenir un affreux macho ?

---

1. Peintre américain très populaire (mort en 2012), spécialiste de la peinture réaliste, bucolique et sentimentale qu'il a commercialisée en masse sous forme de reproductions et produits dérivés (NDT).

– Tu ne trouves pas, papa ? me demandait Webb.

– Quoi ?

– Eh ben que... que tout, s'est-il esclaffé, avec un grand geste de la main embrassant tout ce qui nous entourait. Que tout est génial ici ! Tu trouves pas ?

– Si, si.

Enfin tout sauf moi, sans doute.

24

Daisy

Pauvre Coco.

En temps normal, j'aurais accusé les moules. Mais j'en avais mangé aussi, avec deux bières, et je n'étais pas malade.

Avant de s'endormir roulée en boule sur le futon, elle s'était plainte de maux de tête. Peu avant minuit, je l'ai entendue aller dans la salle de bains et fourrager dans l'armoire à pharmacie de Solange. Je me suis levée pour voir comment elle allait.

– Qu'est-ce que tu cherches, ma puce ?

– De l'aspirine. Du paracétamol. N'importe quoi, a-t-elle gémi en se tenant la tête.

Elle était toute pâle mais ne semblait pas avoir de fièvre. J'ai sorti de mon sac un analgésique aux plantes et lui en ai donné deux gélules.

– Tu veux que je te mette un gant de toilette mouillé sur le front ?

– Non, a-t-elle répondu d'un ton plaintif.

– Retourne te coucher. Ça ira mieux demain matin.

Elle m'a regardée avec ses grands yeux innocents : on

aurait dit un chaton de l'almanach des postes couché dans son petit panier.

– Maman, je crois que je ne vais pas pouvoir aller à Madrid avec toi.

– Oh, Coco. Il faut qu'on y aille. Je suis vraiment navrée, mais...

– Maman, je ne *peux* pas.

Elle a fondu en larmes et sa voix s'est réduite à une espèce de lamentation flûtée :

– Si je dois monter dans un avion, là, tu peux être sûre que je vais vomir ou m'évanouir ou je sais pas quoi.

Il y a eu, dans mon cerveau, comme un tourbillon d'images sombres et brouillées. Je ne pouvais pas faire faux bond à Solange. Impossible. Mais il n'était pas non plus question de traîner Coco à Madrid si elle se sentait aussi mal qu'elle le disait. Je me souvenais de la fois où j'avais cru qu'elle allait mourir, à l'aéroport de Los Angeles.

Oh mon Dieu. Voilà ma punition pour avoir eu envie d'étrangler ma fille, cet après-midi. Ça m'apprendra à être une mauvaise mère.

– Tu crois qu'il faut faire venir le médecin ? lui ai-je demandé.

– Non, a balbutié Coco, dans un sanglot. Ça doit être... la grippe ou un truc comme ça. Tu ne peux pas partir sans moi ?

– Je ne peux pas te laisser ici toute seule.

– Pourquoi ?

– Parce que je ne peux pas.

J'ai attrapé le téléphone et composé le numéro de Solange, qui a répondu dès la première sonnerie. Solange se couchait toujours très tard.

119

– Je suis sincèrement désolée d'être obligée de te faire un coup pareil, ai-je dit, après lui avoir exposé la situation. Mais je suis sûre que tu comprends.

– Je comprends, a répliqué Solange. Mais j'ai besoin de toi ici, Daisy. Ce ne serait pas plus confortable pour Coco de prendre le train ?

J'ai demandé à Coco. Elle a enfoui sa tête dans l'oreiller et s'est mise à pleurer.

– Je crois qu'elle n'est vraiment pas bien, tu sais.

Solange a demandé à lui parler. Je n'entendais que les réponses de ma fille.

« Bonjour... Merci... Je sais... Non, pas du tout. C'est juste que... je suis patraque. Je suis sûre que c'est pas grave... Ah non, ça ne me dérangerait pas du tout. Je sais ! À l'université, tu veux dire ? Oui, oui, dans quatre mois je serai seule, de toute façon. »

Naturellement, elle commençait à compter les jours qu'il restait avant qu'elle ne me quitte. Tout à fait normal, d'ailleurs. Ne pas en faire une affaire personnelle.

« Mmm, disait maintenant Coco. Oui, d'accord. Merci. Bien sûr. Au revoir. »

Elle m'a repassé le téléphone.

– Le problème est résolu, a conclu Solange. Coco va rester au lit, le temps de se remettre. Tu l'appelleras de Madrid toutes les quatre heures. Elle a de la musique, des DVD, la télé, et un réfrigérateur plein.

– Mais..., ai-je objecté.

– Tu pars de Paris demain matin et tu seras de retour, après-demain matin, m'a rappelé Solange.

– Ça fait une journée entière.

– D'accord, a admis Solange. Et Coco sera *au lit*. Si son état s'aggrave, je demanderai à mon médecin de passer la voir.

– Les médecins font des visites à domicile, à Paris ? me suis-je étonnée.

Coco a levé la tête.

– Bien sûr, maman. Si tu avais regardé *Sicko*[1], comme je te l'avais conseillé, tu le saurais.

Son ton supérieur, ajouté à sa capacité de tenir une comptabilité permanente de mes imperfections, a suffi à me convaincre qu'elle était déjà sur la voie de la guérison.

– Daisy, tu as une fille formidable, m'a dit Solange. Fais-lui confiance, nom d'un chien : elle restera cloîtrée chez moi pendant ces vingt et quelques heures.

– D'accord*, ai-je admis. J'ai une fille formidable.

Coco a levé les yeux vers moi et m'a souri.

J'ai donc accepté de tenir mon engagement envers Solange. Et quelque part au fond de moi – dans ce repli secret de mon être que je n'aime vraiment pas beaucoup –, j'étais ravie d'avoir une excuse pour passer un peu de temps seule, loin de ma fille parfaite, dont le seul défaut était de me rappeler, de temps à autre, à quel point nous étions semblables.

---

1. Documentaire de Michael Moore (2011) qui se veut une approche comparative des systèmes de santé américain, français, britannique, canadien, etc. (NDT).

Jour 3 : mardi

À acheter à Madrid
- beurre
- citron
- sucre (sucre blanc et sucre glace)
- levure chimique
- chocolat
- vanille

25

Webb

Je n'ai presque pas fermé l'œil, cette nuit-là. Peut-être à cause de la paëlla, mais plus vraisemblablement parce que j'étais stressé à l'idée de voir Coco.

Vers deux heures du mat, une fois certain que papa dormait comme une masse, je me suis levé, j'ai enfilé mon jean et un tee-shirt. J'ai pris une clef de la chambre et je suis descendu dans la salle multimédia pour regarder mes e-mails.

Pas de message de Coco. Pendant que j'y étais, j'ai lu d'autres messages que j'avais ignorés ces derniers jours. Ils venaient tous de mes potes de lycée.

De : Archboy@com
À : Webbn@com
Objet : Ça gaze ? ? ?
Alors ça gaze paraît que t au costa rika ou en russy ou un truc du genre sans dec bon ben c cool fais gaffe à toi ta raté 1 soirée bitchin hier chez gavin pas de vieux + un max de bière + plein de nanaaaas !

125

De : moa@com

À : Webbn@com

Objet : T ou ?

Pièce jointe : Faut que t'écoutes ça !

Salut webbmaster je t pa vu a la soirée de G et ta pa répondu a mes msgs ou au tél Ça va ou quoi ? la soirée chez G c t la + top de l'année ouvre la PJ t'en croiras pa tes yeux

J'ai cliqué et j'ai eu droit à un concert de pets : les premières mesures de la *Cinquième* de Beethoven.

J'ai fait ANNULER, j'ai fermé le document et j'ai décidé de relire le message de Coco.

Je n'avais pas rêvé. Elle était vraiment différente. Contrairement à mes potes, elle avait l'air vivante. Éveillée. Elle avait de l'humour, ce qui voulait dire qu'elle était intelligente, en plus. Et le mieux de tout : j'avais l'impression qu'elle m'aimait bien. Moi ! MOI ! MOI ! Et ça, j'avoue que ça m'incitait à l'aimer encore plus.

Du coup, j'ai relu tous les messages que je lui avais envoyés. Ma foi, je me débrouillais pas mal non plus. Mais c'est facile d'être bon dans un e-mail, surtout quand on écrit en pensant qu'on est apprécié par la personne à qui on s'adresse.

Alors c'est comme ça que ça marche ? On trouve quelqu'un, on décide qu'on s'aime bien et on fonce ? Ça alors ! C'était autrement plus drôle que de traîner avec mes abrutis de potes, comme une meute de loups espérant brancher une meute de louves consentantes – de préfé-

126

rence des louves à fortes poitrines. Je trouvais ça gonflant et déprimant.

Avec Coco on se marrait, au moins. *Elle* était marrante.

Bizarrement, ça m'a donné la pêche, tout à coup, de penser à elle. Alors, je suis allé faire un tour. Il faisait nuit noire, mais la ville était loin d'être endormie. Des taxis passaient à toute allure devant l'hôtel. Sur les marches, un couple s'embrassait, la fille se blottissait dans les bras du gars.

Je me suis demandé comment on apprenait ces trucs-là. Et pourquoi il n'y avait pas de cours, au collège, pour toutes ces choses que les ados ont *vraiment* envie de savoir. Ça avait l'air tellement naturel de s'embrasser, pour ces deux-là. J'avais envie d'y regarder de plus près, mais je voulais pas non plus braquer les yeux sur eux. J'ai continué à marcher.

J'ai traversé la rue jusqu'à la promenade bordée d'arbres qui longeait le Paseo del Prado. Une bande de mecs un peu louches se tenaient derrière une table pliante. Ils m'ont crié je ne sais quoi en espagnol, je n'ai pas compris. Ça valait peut-être mieux. Ils brandissaient un truc vers moi. L'un d'eux avait des allumettes. Est-ce qu'ils vendaient de la drogue ? Le type aux allumettes a allumé quelque chose.

Oh, des cierges magiques. C'étaient des cierges magiques, qu'ils vendaient !

J'avais complètement oublié que ça existait. Quand j'étais petit, mon père en mettait tous les ans sur mon gâteau d'anniversaire. Et on en allumait aussi à la Saint-Sylvestre. Papa avait des films de moi, dans mon pyjama Indiana Jones, en train de courir en criant à tue-tête, à minuit, avec des cierges magiques que je tenais à bout de bras, au-dessus de ma tête !

Le type aux allumettes m'a dit quelque chose.

« *Para tí, cinco euros.* » Il agitait dans ma direction une poignée de cinq bâtons.

Cinq cierges pour cinq euros ? Ça me paraissait raisonnable. J'ai sorti de ma poche un billet de cinq euros. Le type aux allumettes a empoché le billet et m'a tendu quatre cierges.

« *Uno más* », ai-je avancé, pratiquement sûr que ça voulait dire « encore un » en espagnol.

Ils ont rigolé et ont fait mine de ne pas comprendre mon espagnol – ou d'ignorer que j'avais compris, moi, qu'ils venaient de me rouler.

J'aurais mieux fait de passer mon chemin que de vouloir jouer au dur avec eux. À en juger par l'heure à laquelle ils vendaient, et l'endroit, c'étaient des marginaux un peu voyous sur les bords. Mais je voulais mon cinquième cierge magique !

– Cinq pour cinq, ai-je dit. *Cinco por cinco.*

Subitement, ils ne riaient plus.

– *¿ Qué dijó ?* m'a demandé le type aux allumettes.

– *Cinco por cinco*, ai-je répété.

Ils se sont regardés et sont partis en courant, laissant là leur table et leurs cierges magiques.

J'ai pris celui qui me manquait – je l'avais payé, après tout – et j'ai continué ma balade.

Des cierges magiques. Parfait : j'allais les emporter à Paris et les offrir à Coco quand elle viendrait me chercher à la gare.

Ou plutôt non : je les garderais et j'en allumerais un

après notre premier baiser. Et s'il y avait quelque chose d'autre, eh bien j'en allumerais un autre pour fêter ça. Je n'aurais pas besoin de lui dire que c'était la première fois. Enfin si, peut-être. Elle avait l'air assez cool sur ce plan-là. J'improviserai.

Je suis retourné à l'hôtel et j'ai pris l'escalier pour monter au quatrième étage où se trouvait notre chambre. J'ai ouvert la porte sans bruit pour ne pas réveiller papa. Il dormait profondément. Après avoir rangé les cierges magiques dans mon sac de voyage (enfin, celui de Coco), je me suis mis au lit et j'ai attendu le lever du soleil, les yeux grands ouverts. J'étais aussi excité qu'épuisé.

C'était comme ça, à la Saint-Sylvestre, ai-je pensé, impatient qu'on soit demain, comme un gosse de huit ans.

26

Coco

J'ai cru que maman ne partirait *jamais*.

Et j'avais un peu honte parce que, juste avant qu'elle s'en aille, comme ça faisait cinquante fois qu'elle me demandait si ça ne m'ennuyait pas de rester seule, je lui avais lancé : *Maman, j'irai bien mieux quand tu arrêteras de me tourner autour, comme ça !*

Je m'en voulais terriblement, quand je sortais ce genre de trucs. Mais c'était plus fort que moi. Dans ces moments-là, mon sale caractère d'enfant gâtée de huit ans prenait le dessus. J'étais beaucoup moins insolente quand je restais dans la peau de la fille de dix-huit ans qui essaie d'être sympa. J'étais super stressée à cause de ma prochaine rencontre avec Webb et je m'en prenais à ma mère. Mais, évidemment, je ne pouvais pas lui dire ça.

Quand elle est enfin partie, je me suis habillée en quatrième vitesse et je suis descendue au cybercafé. Mes doigts volaient sur le clavier.

De : CocoChi@com
À : Webbn@com
Objet : Des inconnus sur un quai de gare

Spidey !
Ma mère vient de partir. Tu me croiras si tu veux, j'ai VRAIMENT été malade, mais ça va beaucoup mieux. Je devais être un peu tendue, c'est tout. (Pas toi ?) En tout cas, je viens te chercher ce soir. Dis-moi juste à quelle gare, et j'y serai. OK ?

Esmeralda.

P.S. : Je porterai un vêtement à toi pour que tu me reconnaisses.

J'ai attendu, attendu. Il ne m'avait quand même pas laissée tomber ? Ou alors il s'était dégonflé. J'émettais toutes sortes d'autres hypothèses, quand un nouveau message est arrivé.

De : Webbn@com
À : CocoChi@com
Objet : Re : Des inconnus sur un quai de gare
Merci d'avoir imaginé un titre pour notre petit projet. Et surtout ne te rends pas malade. Je suis le garçon le plus innocent que tu (ne) connaisses (pas). Je pars bientôt d'ici. Je prends ton sac. Ça me plaît bien, l'idée que tu portes un truc à moi. Je vais faire pareil. Et on échangera nos habits sur un mode très hitchcockien.

131

Gare = gare de Lyon. À 22 h 40.

Je t'embrasse.

Spidey.

Oh là là ! *Je t'embrasse.* Encore.

Tout à coup j'ai eu un nœud à l'estomac. *On échangera nos habits sur un mode très hitchcockien ?* Est-ce qu'il sous-entendait qu'on allait se déshabiller mutuellement, comme dans un film porno ?

J'ai relu son message. *Notre petit projet ?* Il pensait qu'on allait coucher ensemble ?

Ensuite, j'ai relu tous ses messages, en y cherchant des indices. Il y en avait partout.

(h) tomber fou amoureux... Je ne l'ai pas fait non plus. Mais je suis prêt... Fais-le. C'est tout ce que je te demande. Moi qui rêvais de voir une péniche *passer sur la Seine. Il faut que nos orbites se croisent.*

Péniche (pénis ?), Seine (seins ?), Orbite.... Tout ça était plein de sous-entendus. *Il veut qu'on fasse l'amour, c'est clair !*

D'accord, j'avoue que coucher était sur ma liste de choses à faire avant de quitter le lycée. Il était hors de question que je sois la seule fille de première année, à la fac, à être encore vierge. Et si ça se trouve, c'était plus facile de se lancer, pour la première fois, avec quelqu'un qu'on n'allait jamais revoir. C'était peut-être même l'idéal, finalement.

Bon, si c'était l'idéal, alors pourquoi est-ce que je flippais comme ça ?

Parce que je ne le connaissais pas, ce mec. Mais où avais-je la tête ? Pourquoi précipiter les choses ? Et la contraception, hein ? Il faudrait bien que l'un de nous mette la question sur le tapis. J'espérais que ce ne serait pas moi. Je pouvais le faire, et je le ferais s'il le fallait absolument. Depuis que j'avais six ans, ma mère me rebattait les oreilles à propos des rapports protégés, mais elle avait oublié de me dire le plus important : *qui apporte les préservatifs, la fille ou le garçon ?*

De retour à l'appartement, j'ai mis de l'eau à bouillir et en attendant, j'ai feuilleté frénétiquement mes guides sur Paris. Il me semblait avoir lu quelque chose sur les préservatifs et les endroits où ça s'achète à Paris. Où était-ce ? Mais où ?!

Ah, voilà : *à Paris on ne peut acheter des préservatifs que dans les pharmacies.*

Le train de Webb arrivait très tard. *Les pharmacies seraient-elles encore ouvertes ? Ou fallait-il que j'aille en acheter tout de suite – au cas où ?*

Oh, mon Dieu. Je commençais à paniquer sérieusement. Il ne manquerait plus que je fasse une crise d'urticaire !

J'ai éteint la bouilloire. Puis, j'ai vidé le sac de voyage de Webb pour examiner tous ses vêtements un par un, comme un criminologue. Des chaussettes dépareillées (distraction ou insouciance ?). Trois tubes de déodorant en stick (transpiration excessive ou syndrome d'un TOC ?). Son exemplaire tout écorné de *Walden ou la Vie dans les bois*. (Au moins, il lit. Mais Thoreau ? Ce fainéant.) Des caleçons écossais avec une poche kangourou. (D'accord, c'est un garçon. Donc il a un...)

Je suis retournée en vitesse au cybercafé pour relire lentement tous les e-mails de Webb, du début à la fin. À chaque

133

message, je respirais un peu mieux. *Je t'ai dit le surnom qu'on me donnait, à l'école primaire ? Charlotte.*

Si on le surnommait Charlotte quand il était petit, ce ne pouvait pas être un obsédé sexuel. En fait, il avait l'air super sympa. Et drôle. Et intelligent. Triple menace, comme nous disions, mes copines et moi, quand il y avait ces trois qualités réunies chez un garçon, sympa/drôle/intelligent. Et ses caleçons écossais étaient vraiment mignons.

Quand je suis remontée à l'appartement pour la seconde fois ce matin-là, j'avais la tête comme un kaléidoscope, avec des combinaisons d'images à donner le tournis : *J'arrive pas à croire que je vais coucher avec un garçon ce soir ! ! ! ! ! ! ! ! ! ! Est-ce que je vais avoir mal ? Est-ce qu'on va rigoler ? Est-ce que je vais pleurer ? Est-ce qu'il va me trouver grosse ? Ou moche ? Ou belle ? Qu'est-ce que je vais lui dire ? Est-ce qu'il sera aussi nerveux que moi ? Est-ce qu'il faut que je lui fasse des compliments sur son... or-bite ?*

Et subitement une idée atroce m'a traversé l'esprit : *Et si Webb était, comme les hippies, un adepte de l'amour tantrique qui consiste à faire durer le plaisir toute la nuit ?*

Beurk. Moi je voulais coucher une fois, et basta.

Mon premier vrai rendez-vous amoureux et ma première expérience sexuelle. J'allais faire d'une pierre deux coups...

Après avoir avalé une tasse de thé, je me suis mise en quête d'une pharmacie.

27

Andrew

J'ai été réveillé par quelqu'un qui chantait. J'ai commencé par ronchonner, persuadé que le bruit venait de la
chambre voisine. Puis j'ai regardé le lit de Webb : il était
vide.

Quelques minutes plus tard, mon fils est sorti de la salle
de bains, douché et drapé dans une des sorties de bain en
éponge fournies par l'hôtel. J'ai remarqué dans ses cheveux
une chose rarissime : les traces du passage d'un peigne.

– Tu es bien matinal, lui ai-je lancé.

Et puis quelque chose m'est revenu.

– Au fait, Webb, tu ne te serais pas réveillé au milieu
de la nuit ?

– Si, si, a-t-il répondu, évasif. J'arrivais pas à dormir.
Alors je suis descendu voir mes e-mails.

– Mais enfin, Webb. Pourquoi tu n'utilises pas mon
BlackBerry ? Tu sais que tu peux avoir accès à Facebook
ou à ta messagerie, avec.

– Pas question, a fait Webb avec un sourire malicieux.
Affaires privées.

– Accordé.

135

Sur ce, j'ai entendu mon BlackBerry bourdonner. Huit nouveaux messages – tous de Solange. Et il était à peine 7 heures.

J'ai calculé que je n'aurais probablement pas le temps de revenir me changer à l'hôtel avant la soirée de gala, alors j'ai mis une veste, un tee-shirt et une cravate sur un porte-manteau. À la seule pensée de tout ce que j'allais avoir à faire dans les douze heures à venir, j'étais déjà épuisé.

– Tu mets ta nouvelle veste, ce soir, hein ? ai-je demandé à Webb.

– Ouais, a-t-il confirmé, avec une pointe d'excitation dans la voix.

J'étais bien content qu'il aime cette veste.

– Et aujourd'hui, tâche de faire un peu mieux qu'hier pour me donner de tes nouvelles, d'accord ?

– Absolument.

– Bon, allez, il faut que je me mette en route. Par contre, demain matin, j'ai l'intention de faire la grasse matinée. Alors pas de chansonnette sous la douche, OK ?

– Non, non, t'inquiète pas, a lancé Webb, joyeusement.

Il était vraiment de très bonne humeur. Il avait même pris des couleurs. Je le trouvais moins pâlot. Ses joues étaient presque roses. Et tout à coup, ça m'a frappé comme une gifle : je venais de comprendre pourquoi Webb était aussi taciturne depuis deux jours et pourquoi il se sentait subitement plus léger : il était tout simplement constipé.

Je m'en suis voulu de ne pas y avoir pensé avant. *Je me trouvais décidément bien négligent, comme père !*

28

Daisy

Sur le chemin de l'aéroport, j'ai commencé à avoir des remords.

Et si ce n'était pas une simple gastro ? Si c'était une intoxication alimentaire. Et si Coco se déshydratait ? On pouvait mourir de déshydratation.

Et moi qui la laissais seule à l'étranger ! *Mais quelle mère étais-je donc ?*

D'un autre côté, Solange avait raison. Coco avait dix-huit ans. Elle serait seule à l'université dès l'automne prochain. Je lui avais laissé des euros, une liste de numéros de téléphone, du thé, des jus de fruits, des tas de choses à manger.

Et en effet, c'était une fille tout à fait responsable. Je n'avais jamais à m'inquiéter de rien : ni de ses résultats scolaires, ni de ses fréquentations, ni de la drogue ou de l'alcool. D'ailleurs, elle était plutôt *trop prudente*. Mon conseiller financier m'avait expliqué que c'était très courant chez les femmes, surtout les femmes marquées au coin du perfectionnisme. D'après lui, nous devions nous forcer à prendre davantage de risques et encourager nos filles à en faire autant.

137

Mais la planter là, toute seule – et à Paris ? Où avais-je la tête ? Et en plus, c'était en grande partie dans le but de passer un peu de temps sans elle que je l'avais laissée au lit pour la journée. C'est terrible, pour une mère, d'admettre une chose pareille, mais c'était la réalité. Ma fille pouvait me taper sur les nerfs comme personne. Son côté moralisateur. Sa piété. Son mauvais caractère et son attitude de mademoiselle je-sais-tout.

Mais je savais pertinemment d'où tout cela venait : de moi. C'est bien ça le plus affligeant, pour des parents : voir ses pires qualités chez quelqu'un d'autre. Et c'est d'autant plus rageant qu'on ne peut rien y changer, pas plus chez son enfant que chez soi-même.

Enfin, au moins Coco savait ce qu'elle voulait faire plus tard : des études de psycho à l'université de Washington. Et elle allait s'y tenir. Je la voyais très bien psychologue. Elle n'avait aucun scrupule à prodiguer des conseils, surtout à moi. *Maman, il faut que tu arrêtes de t'épiler les sourcils. Maman, qu'est-ce que tu peux être coincée ! Maman, tu devrais te mettre à la méditation !*

Souvent elle avait raison. Et elle était sans aucun doute passionnée et motivée. Je me demandais seulement si elle était heureuse. De tout ce que j'avais essayé de lui inculquer, c'était le seul domaine où j'avais échoué. Je lui avais appris à travailler assidûment et à avoir de bonnes notes, les clefs de la réussite professionnelle. Mais il n'y a pas que ça, dans la vie.

J'ai revu mentalement l'article de journal qui m'avait tant agacée : « Que veut Daisy Sprinkle ? ». Nancy pensait que je devais continuer ma thérapie. Moi, je savais que j'avais besoin d'un peu de vacances. Était-ce si épouvantable d'admettre que ce dont j'avais *vraiment* besoin, c'était de faire un break dans mon métier de mère ?

Dire que le métier de mère vous apprend l'humilité est un euphémisme. Et pas seulement à cause de l'ingratitude. Ça encore, je m'en arrangeais. Pas non plus parce que à la vraie cuisine les enfants préfèrent toujours leurs infâmes nouilles au fromage et leurs épouvantables *nuggets*. Non, c'était surtout la sensation d'étouffer. De suffoquer. Ça, plus le phénomène de rejet. C'est quand même le comble que de se trouver en porte-à-faux dans la relation d'amour unilatérale qui vous lie à la personne que vous avez mise au monde.

Était-ce si abominable d'avouer que j'avais envie de me soustraire à tout cela quelque temps ?

Oui, c'était abominable. Mais honnête, en même temps.

Pendant le décollage, j'ai sorti mon carnet pour vérifier ma liste de courses : beurre, citron, sucre (sucre blanc et sucre glace), levure chimique, farine, chocolat, vanille.

Au début, Solange n'avait pas bien compris, quand je lui avais dit que je voulais servir des petits fours pré-numériques antidéprime, à sa soirée inaugurale.

– Quoi ? Qu'est-ce que tu racontes ? avait-elle demandé quand elle m'avait appelée à l'aube, pour s'assurer que je venais.

– Écoute, tu m'as bien dit que c'était une exposition d'artistes qui ont grandi dans le monde post-digital ?

– Oui, a confirmé Solange.

– Bon, c'est donc l'époque à laquelle les gens ont arrêté de faire de la pâtisserie. Parce qu'ils étaient débordés, toujours en train de travailler, collés à leur ordinateur ou scotchés devant la télé ou des jeux vidéo.

– Dis-moi juste ce que tu vas faire, m'a enjointe Solange, un peu inquiète.

– Un *gooey butter cake*. Un cheese cake texan. Un *red velvet cake*[1]. Et des cookies aux pépites de chocolat.

– Des *coukizes* aux pépites ! s'est écriée Solange dont l'accent français ressurgissait par moments. Oh là là ! Tu m'en faisais à Paris. J'avais complètement oublié.

Elle s'est tue un instant.

– Mais Daisy, on n'est pas tellement sucre, en Europe, tu sais.

– Je sais. Comme ça, ça va leur paraître exotique et vaguement nostalgique, un peu comme un passé qu'ils n'ont jamais vécu. Mais tu sais, c'est le genre de nourriture qui te rend heureux et triste à la fois, comme quand tu as envie de quelque chose, sans vraiment savoir quoi.

– Je ne comprends pas tout, a avoué Solange. Mais je t'adore et il faut que j'y aille, parce que ce maudit designer fait des tas de changements de dernière minute. Si ça continue, je crois que je vais l'étrangler. J'envoie un chauffeur te chercher à l'aéroport à midi.

– Parfait, ai-je dit. Eh, attends ! Et les serveurs ? Coco devait m'aider, mais...

– Tout est prévu, m'a interrompue Solange. Le type que j'avais engagé pour ce boulot, le pâtissier qui a perdu son père, a toute une équipe. Des beaux garçons en smoking. Ce sera parfait. Bisous !

---

1. Gâteau rouge velours (NDT).

29

Webb

Après avoir lu le message de Coco, je suis passé à l'action.

D'abord, j'ai téléchargé une application gratuite qui permet de programmer des envois d'e-mails à des heures précises. Ensuite, j'ai écrit à papa une série d'e-mails assez vagues à envoyer au compte-gouttes, toutes les deux heures soixante-huit minutes.

Bien sûr, je me sentais coupable de ne pas être là pour le grand soir de papa. Il travaillait sur cette exposition depuis plus d'un an. Et je culpabilisais de lui mentir, par-dessus le marché. Je savais que mon père ne voulait que mon bien et désirait toujours ce qui était le mieux pour moi. Mais justement, il ne savait pas toujours ce qui était le mieux. Moi, si. En l'occurrence, c'était d'aller voir Coco Sprinkle à Paris.

Dans le hall, j'ai croisé le concierge.

– Vous cherchez votre père ? Il a quitté l'hôtel il y a dix minutes.

– *Gracias, señor*, ai-je répondu. Mais non, il s'agit d'autre chose. *No necesitamos,* euh, *la ayuda con la casa en la sala 403 hoy día. Ni mañana.*

141

– Vous n'avez pas besoin d'aide pour la maison ? Il avait l'air perplexe.

– Pour le ménage, ai-je expliqué. Pouvez-vous dire aux gens de ménage de ne pas passer dans la chambre 403 ni aujourd'hui ni demain. D'accord ?

Il a griffonné un mot sur un papier.

– C'est fait, *señor*.

– *Gracias*.

Je suis remonté dans la chambre en quatrième vitesse, j'ai fourré plein d'oreillers dans le lit et j'ai mis les couvertures par-dessus, comme dans un dessin animé de Walt Disney. Ensuite j'ai attrapé le sac de Coco et accroché le petit panneau PRIVADO / NE PAS DÉRANGER à la poignée de la porte.

En prenant le métro pour aller à la gare, j'avais l'impression d'être dans un rêve. Je sentais un changement radical et fantastique s'opérer dans ma vie. Je me voyais déjà raconter cette histoire à mes abrutis de potes. *T'as rencontré une fille où ça ?* ils me demanderaient. *Comment ? Tu t'moques de nous ?*

J'ai acheté mon billet aller-retour avec l'argent que papa m'avait donné. Je ne pensais pas que ce serait aussi cher. Il ne me restait plus que vingt euros en poche quand je suis monté dans le train, à 8 h 30.

Pendant les treize heures qui ont suivi, j'ai contemplé, par la fenêtre, les villes et la campagne qu'on traversait. Toutes ces vies. Toutes ces histoires non dites et ces drames personnels. Il y avait quelque chose de beau et de triste, là-dedans. J'étais bizarrement ému, d'un seul coup. Comme si je partais de chez moi, mais pour courir vers un nouveau chez moi. À l'heure du déjeuner, j'ai mangé un sandwich au fromage.

Quelques heures plus tard, j'ai regardé l'Espagne se transformer en France. Vers 18 heures, j'ai mangé un autre sandwich au fromage, en guise de dîner. Après avoir acheté ces deux sandwichs et une grande bouteille d'eau, il ne me restait plus que dix euros. J'ai essayé d'oublier ma faim.

Plus le ciel s'obscurcissait, plus j'étais excité. Le bruit du train sur les rails semblait me dire : *C'est-sûr-qu'elle-t'aime, C'est-sûr-qu'elle-t'aime, C'est-sûr-qu'elle-t'aime.* Mais, en même temps, ça me paraissait ridicule.

Elle m'aimait bien, d'accord. Ça transparaissait dans ses e-mails. Mais il ne fallait pas que je m'emballe. Ni que je fasse n'importe quoi. Tout à coup, le train a commencé à se payer ma tête avec son refrain : *C'que-tu-peux-être-bête, C'que-tu-peux-être-bête, C'que-tu-peux-être-bête.*

Et là, je me suis rendu compte que j'avais oublié de laver mon jean. Le train m'a répondu avec un : *Tu-vas-schlinguer-mec, Tu-vas-schlinguer-mec, Tu-vas-schlinguer-mec.*

Enfin à 22 h 40, le train est entré en gare à Paris.

J'étais tout courbaturé après ce long voyage et j'avais la jambe gauche ankylosée. *Super. Maintenant, elle va penser que j'ai une paralysie motrice cérébrale.* J'ai tapé du pied par terre de toutes mes forces pour faire circuler le sang.

Les autres passagers avaient l'air pressés. Je suis resté en arrière de la foule, puis j'ai remonté le quai d'un pas tranquille. Comme si je voulais retarder le moment de la rencontre – pour faire durer l'attente le plus longtemps possible.

Je l'ai reconnue tout de suite. Elle était debout sous une

pendule. Ses cheveux châtain doré étaient rassemblés en une queue-de-cheval. Elle portait ma chemise blanche et mon exemplaire de *Walden*.

Elle m'a souri.

J'ai eu envie de l'embrasser sur-le-champ.

30

Coco

Je n'aurais jamais deviné que c'était lui. Il faisait tellement européen !

Il portait une chemise blanche impeccablement repassée – neuve, peut-être – avec un jean dans un état de décrépitude avancé, et des Converse. Il avait même un foulard autour du cou, comme les Français. Ce n'est que quand il s'est approché et qu'il a enlevé ce foulard que j'ai reconnu ma tunique gitane.

– Esmeralda ? a dit Webb en me tendant ma tunique.

– Oui, c'est bien moi. Salut !

Je lui ai tendu la main mais il s'est penché pour m'embrasser.

– C'est bien comme ça qu'on fait, non ? a-t-il demandé, en m'embrassant sur les deux joues, d'une façon plutôt rigolote et pas du tout ambiguë.

J'ai éclaté de rire.

– Oui, oui, absolument.

– Je trouve ça super, cette coutume, a-t-il commenté.

– Moi aussi. C'est super, on peut le dire.

Il m'a souri.

– Ouais, vraiment super.

– Super de chez super, j'ai ajouté.

Pourquoi fallait-il que je répète bêtement tout ce qu'il disait ?

– Tu dois être crevé ! J'arrive pas à croire que tu as passé toute la journée dans le train.

– Ça a été. En fait, c'était même plutôt agréable.

– Ah bon ?

Pourquoi je ne trouvais rien de plus intéressant à dire ? J'aurais dû préparer une petite histoire marrante à lui raconter !

– Eh dis donc, tu savais que la guillotine n'avait pas été inventée par le docteur Guillotin ?

Il s'est exclamé :

– C'est vrai ? Par qui, alors ?

– Euh, je sais pas trop, en fait. Le docteur Guillotin a juste amélioré la conception originale.

On était toujours là, debout, en train de se dévisager. Enfin moi, je le regardais, en tout cas. Lui il jouait le mec hyper cool et détendu, pendant que moi, je travaillais mentalement mon badge scout de spécialiste de la guillotine.

– Elle est géniale, cette gare, a-t-il fini par dire en regardant autour de lui. Pourquoi il y en a pas des comme ça, chez nous ?

– C'est vrai, ai-je confirmé. C'est... super, en fait.

Punaise ! Maman avait raison, à propos de ma manie de dire tout le temps « en fait ». C'était nul de chez nul !

– Tu voulais qu'on reste un peu dans le coin ou bien..., a-t-il commencé.

– Non, non. En fait... Je veux dire, on devrait retourner à l'appartement. Tu as faim ou tu préfères te reposer ? Tu veux manger un peu ou faire un tour dans Paris ?

– Oui, oui, oui et oui, il a dit. Et s'il en manque un, je dis encore oui.

J'ai ri.

– Ah ben, on peut dire que t'es pas compliqué, toi.

Oh non. J'avais vraiment dit ça ? Mais il se marrait. *Ouf.*

– Pas compliqué, j'en sais rien, mais en tout cas, je meurs de faim, a dit Webb avec un sourire. Et je meurs d'envie de visiter Paris. Allez. On a huit heures devant nous, jusqu'au départ de mon train.

31

Andrew

J'aurais dû m'en douter, puisque c'est toujours comme ça.

La veille d'un vernissage, tout va mal, absolument tout. Mais au moment crucial, les dieux de l'art nous fixent toujours d'un œil bienveillant, et la réception inaugurale est un succès sans pareil. Les mauvaises générales font de bonnes premières, etc.

C'était le cas, cette fois encore. L'espace de l'exposition était rempli de Madrilènes sur leur trente et un qui appréciaient visiblement, à en juger par leurs visages souriants éclairés par les minuscules lumières bleues scintillantes que j'avais réparties dans tout l'espace.

Un vernissage réussi était toujours un moment délicieux, mais j'étais trop épuisé pour apprécier celui-ci. J'ai cherché des yeux Webb dans la foule des mécènes armés de leur téléphone portable qui naviguaient à travers l'installation intitulée *La Ronde des portables*. Le rythme de la musique techno était infernal. Je me suis éloigné, avec une part de gâteau doré, pour tenter de me soustraire à cette musique propre à déclencher des crises d'épilepsie.

Solange m'a aperçu de l'autre bout de l'espace. Elle est venue jusqu'à moi avec un sourire radieux.

– Je viens de discuter avec un critique d'art d'*El País*, m'a-t-elle chuchoté à l'oreille.

– Ah oui ? Et alors, son verdict ?

Elle a attrapé le morceau de gâteau que j'avais à la main et a mordu dedans.

– Impressionnant, passionnant, vivifiant, a-t-elle répondu, la bouche pleine et en savourant chaque adjectif.

– Rien sur le fonctionnement des toilettes pour femmes ?

Solange a souri.

– Andrew, tu sais bien que ton boulot consiste à attirer l'attention sur les œuvres d'art, pas sur l'espace d'expo en lui-même. Et personne ne le fait mieux que toi.

– Merci.

– Et puis, je te demande pardon d'avoir été aussi despotique, ces derniers jours, a-t-elle poursuivi en achevant mon dîner. Je n'avais jamais travaillé pour ce musée. La plupart de mes clients sont en France ou en Belgique. Alors comme c'était tout nouveau, je...

– Ne te fatigue pas, je comprends. Avec un nouveau client, on n'a pas le droit à l'erreur.

– Exactement. Et tu sais, il y a eu un moment où j'ai cru que tout le truc allait se casser la figure. *Pouf !* En plus, le traiteur qui me laisse tomber dimanche, alors là, j'ai failli faire une dépression nerveuse.

– Eh oui, ai-je acquiescé, en me souvenant de ce problème qui était un des seuls que je n'avais pas à résoudre.

Tu n'as pas osé demander au traiteur de manquer l'enterrement de son père, quand même ?

Elle a souri en essuyant un peu de sucre glace qui lui collait aux lèvres.

– Non. Figure-toi que j'ai une amie merveilleuse qui est un grand chef. Et par chance, elle était en vacances à Paris.

– Ce n'est plus de la chance, à ce stade. C'est le *kismet*.

– Le *kismet* qu'est-ce que c'est ? a demandé Solange avec une grimace.

À ce moment précis, une femme qui ne m'était pas tout à fait étrangère est passée devant nous avec un plateau.

– Mais si, Solange, a-t-elle dit, tu sais ce qu'est le *kismet*.

– Ah bon ? s'est étonnée celle-ci. Rafraîchis-moi la mémoire.

– C'est le destin ou la destinée, a expliqué la femme.

– Ah mais oui ! Je crois que mon cerveau est en train de s'en aller en charpie. Daisy, je te présente Andrew Nelson, le designer de l'expo. Andrew, voici Daisy Sprinkle. C'est elle qui a fait le... comment tu appelles ça, déjà ?

– Le *gooey butter cake*, a répondu la femme avec un sourire. Enchantée.

Elle avait une belle voix. Ses cheveux étaient relevés. Elle portait un chemisier en soie noire et le même pantalon large que dans l'avion.

Était-il possible qu'elle ne m'ait pas reconnu ? Elle ne m'avait donc vraiment pas vu quand je l'avais bousculée, au moment de l'embarquement ?

J'ai répondu à son sourire.

– Très heureux.

– Pardon de vous avoir interrompus, a-t-elle repris.

Puis se tournant vers Solange :

– Je peux t'emprunter ton portable ? Je voudrais savoir si Coco va bien.

32

Daisy

– Non, non et non, a rugi Solange. Tu ne vas pas l'appeler maintenant. Il est tard. Laisse-la dormir, cette pauvre gamine. Elle s'est tournée vers le beau designer et a ajouté :

– Je suis la marraine de cette jeune fille, c'est pour ça que je me permets de donner mon avis.

– Je vois, a dit l'homme en souriant.

Il était grand. Brun, avec quelques cheveux blancs. Jolie coupe de cheveux. Un regard sympathique. Un sourire gentil. Mince mais pas maigre. Il portait un costume d'été en flanelle grise et une chemise blanche. La cinquantaine, peut-être. Je m'étonnais que Solange ne m'ait jamais parlé de lui.

– Il me semblait bien que je connaissais ce goût, a-t-il dit. Petit, j'en mangeais tout le temps. Le *gooey butter cake*, c'était une véritable institution, à Saint Louis. J'avais oublié combien c'est délicieux.

Et il était charmant, en plus. Tant mieux pour Solange.

– Daisy fait aussi du *red velvet cake*, a ajouté Solange. Elle appelle ça la cuisine prénumérique nostalgique ou quelque chose comme ça.

– Et le gâteau de rice krispies ? a repris le type.

– Ah mais oui, c'est vrai, j'avais oublié ! ai-je dit en riant. Et ça aurait été parfait ici. Enfin, non, peut-être pas. La guimauve française est trop bonne pour faire ça. Pour le gâteau de rice krispies, il faut prendre les marshmallows caoutchouteux et bon marché qu'on trouve chez nous.

Je me suis interrompue.

– Excusez-moi, je n'ai pas retenu votre prénom.

– Andrew.

Beau prénom. Énergique, classique. Bien mieux qu'Andy.

– Et la fausse tarte aux pommes ? m'a-t-il demandé. Vous vous souvenez qu'il y avait la recette au dos des paquets de crackers ?

– J'en ai fait une, une fois. Pour mon groupe de scouts.

Il riait, maintenant. *Jolies dents. Ma parole, ce type était adorable. Pourquoi Solange me l'avait-elle caché ?* Je me suis dit que j'allais la prendre entre quatre yeux pour la cuisiner sur sa nouvelle conquête. Cet homme était autrement mieux que son ex, Jean-Claude, un photographe avec un ego grand comme Notre-Dame.

– Bref, désolée de vous avoir interrompus, tous les deux, ai-je répété.

J'avais encore des dizaines de cookies aux pépites de chocolat qui attendaient en coulisses d'être servis. Et le personnel de service si professionnel avait très professionnellement disparu à 23 heures.

J'ai traversé la foule qui commençait à se clairsemer, pour regagner la pièce que Solange avait fait mettre à ma disposition. Après avoir enfilé des gants en caoutchouc, j'ai entrepris de disposer joliment les cookies sur les plateaux vides. Et là, la porte s'est ouverte.

– Ah, très bien, ai-je dit sans lever les yeux de mon travail. Il me reste au moins un serveur. On va écouler ça. Prenez n'importe quel plateau. Et dites aux gens d'emporter des cookies chez eux pour leurs enfants.

– Oh, a dit une voix. Bon, d'accord.

J'ai levé les yeux. C'était Andrew.

– Pardon pardon ! me suis-je exclamée. Je vous avais pris pour un des serveurs.

J'ai grimacé en imaginant la tête que je devais avoir sous la lumière crue et froide de cette pièce. L'air défait, une allure de sorcière. Une vieille peau, quoi.

– Je me ferai un plaisir de vous donner un coup de main, a annoncé Andrew en souriant.

– Non, non. J'ai vraiment cru que vous étiez un des...

Mais il avait déjà attrapé un plateau de cookies.

– Merci, ai-je dit en prenant moi aussi un plateau et en retournant dans la salle de réception où il y avait de moins en moins de monde. J'ai avancé droit vers Solange.

– Dis donc, pourquoi tu ne m'as jamais parlé d'Andrew ? ai-je murmuré. Il est fantastique.

– Oui, c'est vrai, il est sympa, a-t-elle répondu distraitement.

– *Sympa* ? Tu rigoles ? Il est vachement plus que sympa. Je suis jalouse.

Solange m'a regardée avec de grands yeux.

– Jalouse ? Mais de quoi ?

– De toi, pardi.

Elle semblait stupéfaite.

– Moi et Andrew ? s'est-elle esclaffée. Daisy, ça fait six mois que je suis avec un sculpteur qui s'appelle Maria Luciana.

– Maria ? ai-je répété. Luciana ?

– Oui. Elle te plairait.

Je ne savais plus quoi dire. Heureusement, on s'est mises à glousser toutes les deux exactement en même temps.

– Tu veux que je te dise ? ai-je conclu. On ne se parle plus assez, tu ne trouves pas ?

– Si, si, c'est vrai, a admis Solange. Mais si Andrew t'intéresse, vas-y, fonce. Il est là-bas en train de servir des *coukizes*.

33

Webb

Je ne sais pas pourquoi j'ai zappé mon idée de donner un cierge magique à Coco après notre premier baiser. Il faut dire que je n'avais pas prévu de l'embrasser sur les deux joues. Je faisais à peu près tout à l'instinct.

– Je peux le porter, a dit Coco tandis que nous sortions de la gare en lorgnant son sac.

– Ça va pas, non ? C'est qui le mec ? ai-je répondu.

J'avais essayé d'être drôle et de jouer les machos mais c'est tombé à plat. *Moins d'instinct, plus de réflexion*, me suis-je dit. *Tourne ta langue dans ta bouche, avant de parler.*

– Il y a quelque chose de spécial que tu as envie de voir ? m'a demandé Coco. Ou bien tu veux juste te balader comme ça ?

– Euh, ben... *Est-ce que je devais la laisser prendre les choses en main ? Ou lui dire ce que j'avais envie de voir ?*

– C'est sympa, la tour Eiffel ? ai-je demandé.

– Bof, a-t-elle répondu en passant ses mains dans ses cheveux tout brillants. C'est le truc un peu touristique, tu vois ? Quand elle a été construite, les Parisiens l'avaient en horreur, ils voulaient la démolir.

156

– C'est vrai ? Je ne savais pas. Bon alors et si on allait...

– Mais si tu tiens à la voir, on peut prendre le métro pour y aller. Ce sera peut-être trop tard pour y monter mais...

– Non, on va... hum.

Zut, j'aurais dû préparer un peu mieux. Pourquoi j'avais pas cherché Paris sur Wiki ?

– Moi, tout me va, tu sais. Mon père m'a amené ici quand j'avais neuf ou dix ans mais je ne me souviens de rien.

– Ma mère a fait pareil quand j'étais encore plus jeune, a répondu Coco. Mais j'ai lu tous les guides touristiques et j'ai mémorisé les plans. On va prendre le métro jusqu'à Saint-Michel et on se baladera dans le Quartier latin.

– Cool.

Pourquoi est-ce que je disais des trucs aussi débiles ? Quel manque d'inspiration !

– La bouche de métro est là-bas, m'a annoncé Coco en me montrant le chemin. Oh, attends. Mon sac. Tu ne vas pas le traîner avec toi tout le temps.

– Ça me dérange pas, ai-je répondu.

D'accord, c'était nullissime comme réponse. Bien sûr que ça me dérangeait ! Mais dis-le, abruti ! Prends les choses en main. De l'initiative, mec !

– Remarque, ce serait peut-être pas idiot de le laisser quelque part, ai-je fini par dire.

– Alors on passe d'abord à l'appart, a décidé Coco. Comme ça, tu pourras poser le sac et... Puis, je sais pas, moi...

Ho, ho ! Elle veut qu'on couche ensemble tout de suite, ou quoi ? Serait-elle du genre à pratiquer la drague sportive : je prends et je relâche ? Je branche juste pour un coup ? Bon, pourquoi pas ? Mais j'espère qu'elle sait s'y prendre, parce que moi, c'est zéro. Enfin je veux dire, oui je peux sûrement me débrouiller. J'y ai réfléchi assez souvent. Et si mes potes en sont capables, moi aussi, non ?

– On retourne à l'appart ? Ça me va, ai-je dit.

Je devais avoir l'air carrément idiot.

Coco m'a emmené jusqu'au métro, dans les entrailles de Paris. Elle a acheté des tickets pour nous deux. Elle assurait bien et ça me plaisait. Mais quand nos corps se sont heurtés, dans la rame de métro, j'ai eu l'impression d'être nul, ignorant, un gosse de dix ans sans expérience, avec sa baby-sitter plus vieille et plus sage.

Je me souvenais de ce qu'elle m'avait écrit dans un e-mail : qu'elle ne voulait pas qu'il y ait une inculpation de vol de bagages dans son casier judiciaire. Qu'elle n'en avait pas plus besoin que de l'herpès. Bon, ça voulait donc dire qu'elle avait de l'expérience, elle. C'était bien, non ? Et l'histoire de l'herpès, c'était juste une blague, hein ? Évidemment pas besoin de le lui demander, non ? Non.

– Il y a pas mal de stations pour arriver là-bas, a-t-elle dit, tandis que le métro redémarrait dans une embardée.

Peu après il s'est de nouveau arrêté brusquement et nous a jetés l'un contre l'autre, ses pieds sur les miens.

– Monsieur, je vous demande pardon*, a-t-elle déclaré, dans un français parfait.

Elle riait.

– Je ne l'ai pas fait exprès*.

– Hein ?

– Ce sont les derniers mots de Marie-Antoinette. Il paraît qu'elle a dit ça à son bourreau en montant sur l'échafaud.

158

– T'es sérieuse ?

Punaise ! Mais pourquoi j'étais aussi empoté ? Pourquoi je ne savais rien de rien ? Pourquoi je ne faisais pas plus d'effort, au lycée ? Pourquoi j'avais pris espagnol, alors que visiblement les filles préfèrent le français ?

Le métro repartait. Je sentais la nuit s'éloigner de moi.

– Elle te va bien, ma chemise, ai-je dit d'un ton aussi charmeur que possible.

– Quoi ? a-t-elle demandé, en mettant sa main en cornet près de son oreille.

– Ma chemise, ai-je répété plus fort. Elle te va bien.

Mais le bruit du métro qui fonçait dans le tunnel rendait toute conversation impossible.

– *Quoi ?* a-t-elle demandé, encore plus fort et d'un ton plus agacé qu'amusé, maintenant.

– Rien, rien, ai-je articulé en secouant la tête, dépité. Bizarrement, je me sentais tout à coup très proche de Marie-Antoinette.

J'ai jeté un coup d'œil à ma montre. Vingt-trois heures trente. Il nous restait sept heures quarante minutes.

Jour 4 : mercredi

34

Coco

Je croyais avoir bien lu les panneaux, mais on a pris le métro dans le mauvais sens – *zut de zut* ! Il n'était pas loin d'une heure du matin quand on est arrivés à l'appartement.

– C'est super cool, ici, a commenté Webb en admirant les murs du salon de Solange couverts de tableaux.

– Ouais, ai-je admis. Comme tu vois, ma marraine est passionnée d'art.

Un silence gêné s'est installé. Pour remplir ce vide, j'ai demandé :

– Hum, tu veux manger quelque chose ? J'ai acheté quelques trucs au marché, aujourd'hui.

En fait, j'avais passé toute la journée à faire des courses, avec, en tête de liste, les préservatifs. Ce qui n'avait franchement pas été une partie de plaisir. Il avait fallu que je prenne drôlement sur moi pour ne pas détester Webb de m'avoir obligée à le faire. Enfin, *obligée*, pas vraiment. Il avait certainement apporté toute une réserve de capotes. Et puis, je ne pouvais pas lui en vouloir d'avoir envie de coucher avec moi. J'espérais seulement que ça n'allait pas le prendre, comme ça, tout de suite. Cette histoire d'amour tantrique m'inquiétait sérieusement.

– Je meurs de faim, a-t-il dit.

– Ça tombe bien ! Je me suis précipitée dans la cuisine.

J'avais passé des heures à acheter ce qu'il fallait pour un parfait dîner en amoureux : une baguette à la boulangerie, plusieurs morceaux de fromage au marché, plein de raisins (pour ça, j'avais dû faire plusieurs magasins différents) et une bouteille de vin.

– J'espère que tu aimes le fromage fort, ai-je dit en lui présentant, d'un air détaché, le choix extraordinaire de fromages que j'avais passé si longtemps à sélectionner et à disposer sur l'un des plus jolis plats de Solange.

– Les fromages qui puent, tu veux dire ? a-t-il demandé, en fronçant le nez.

Oh là là ! Il était trop mignon. Enfin je pouvais le regarder tranquillement, pendant qu'il examinait les fromages. Mignon et beau, en plus. Beau comme un *homme*, pas comme un gamin.

– Les Français adorent les fromages forts, ai-je déclaré. Ma mère en est dingue. Elle en achète tout le temps, à Chicago. Mais, rien à voir avec ce qu'on trouve en France. Tiens, goûte moi ça.

J'ai étalé un peu d'époisses sur une tranche de baguette et la lui ai passée. Il l'a aussitôt engloutie. Ensuite je m'en suis fait une tartine.

– C'était le fromage préféré de Napoléon, ai-je commenté, entre deux bouchées. Il est fait avec du lait de vache cru. Tu aimes ?

Il mâchait tout en souriant.

– Goûte celui-là, maintenant.

J'ai posé une grosse part de camembert sur une fine tranche de pain.

– Ma mère est raide dingue de ça. Pour elle, c'est le meilleur fromage du monde. Les Français disent que le camembert sent les pieds du bon Dieu. Trop marrant, non ?

Cette fois encore, il a mis la tartine dans sa bouche et a souri.

– Celui-ci, tu le connais forcément. C'est du roquefort. Tout ce que tu vois de bleu, c'est de la moisissure, comme tu sais. Tiens.

J'ai tartiné le roquefort sur du pain. Il en a pris une grosse bouchée.

– C'est fabriqué dans un tout petit village du sud de la France, ai-je expliqué.

Pourquoi je me mettais à parler comme ma mère, subitement ?

– Avec du lait non pasteurisé, donc, risque d'empoisonnement à la *listeria*. Potentiellement mortel, d'ailleurs, pour certaines personnes. Il y a même des femmes enceintes qui peuvent perdre leur bébé.

Punaise, POURQUOI je parlais de grossesse et de bébés ? Il allait penser que je voulais tomber enceinte. Et lui, qui ne disait rien. Peut-être parce que je parlais sans arrêt, comme une folle, sans pouvoir la fermer ? Non, c'est faux. Je laissais plein de silences entre mes phrases : il aurait très bien pu en profiter pour dire quelque chose. Mais non, il était assis là et se contentait de manger en me souriant d'un air bizarre. Il voulait qu'on s'envoie en l'air ou quoi ? Si ça se trouve, c'était un obsédé sexuel. Ou alors, le fromage était comme les huîtres : un de ces mets bourrés d'hormones qui rend les hommes fous. Il devait penser que j'étais en train de l'allumer.

– Si tu as aimé ceux-là, tu devrais apprécier le Stinking Bishop[1], ai-je insisté, pour bien lui faire comprendre qu'il était question de fromage et pas du tout de sexe. J'ai vu que Solange en avait dans son frigo. Attends, je vais te le faire goûter.

J'ai gravi d'un bond les quatre marches de la cuisine. Webb est resté dans le séjour, à mûrir Dieu sait quel plan.

– Le plus drôle, avec ces fromages forts, ai-je crié de la cuisine, c'est que certains, comme l'époisses, puent tellement qu'on n'a pas le droit de monter avec dans les transports en commun. C'est marrant, non ? Ha, ha, ha !

Je fourrageais en même temps dans le frigo pour trouver le Stinking Bishop. Je l'ai pris, avec la pointe d'un grand couteau, au cas où. *Je connais même pas ce type ! S'il veut me faire un truc bizarre, je n'aurai qu'à brandir le couteau, comme les tortues ninja, d'un air convaincu et déterminé.*

– Coco ? m'a lancé Webb d'une voix étrange, du séjour.

– Oui ? ai-je répondu en fermant les yeux.

J'aurais donné n'importe quoi pour qu'on soit en train de chatter en ligne. Mais non : il était là, à deux pas de moi.

– T'as pas un truc à boire ?

---

1. « L'Évêque puant » : fromage anglais, entre l'époisses et le munster (NDT).

35

Andrew

Il fallait que j'avoue. C'était vraiment trop ridicule. Mathématiquement, quelles étaient mes chances ?

Je l'observais de loin qui discutait avec Solange. Elles riaient.

Ce qu'elle est belle ! Les lumières bleues accentuaient encore la géométrie de son visage. Ici, elle ressemblait moins à un Botticelli qu'à un Modigliani dans les tons bleus.

Il fallait absolument que je lui parle de ce petit mot. Je pouvais peut-être écrire quelque chose de subtil sur un bout de nappe en papier que je poserais sur son plateau.

Non, les messages secrets, ça suffit comme ça.

Mais après tout, elle trouverait peut-être tout ça très amusant, même si elle m'avait traité de goujat de première. Effectivement, j'étais un goujat. Seul un goujat pouvait glisser un billet dans le sac à main d'une femme. Mais maintenant qu'elle me connaissait, elle allait trouver tout ça cocasse.

Elle avançait à présent dans ma direction, avec un plateau chargé de cookies. Elle m'a souri. Je lui ai souri aussi.

– Je crois que nous sommes les deux derniers à travailler,

a dit Daisy assez fort pour couvrir la musique techno qui, curieusement, avait cessé de me taper sur les nerfs.

– Et s'il n'en restait qu'un, je serais celui-là, ai-je répondu.

Elle a éclaté d'un rire franc, profond. *Bon Dieu, ce rire. Extraordinaire.*

– Ça me fait mal au cœur de jeter tout ça, a-t-elle dit en regardant le plateau. Et j'en ai encore des dizaines en réserve. Chez moi, je m'arrange toujours pour que les restes soient donnés à une banque alimentaire ou à un foyer d'accueil pour femmes.

– C'est formidable, ai-je commenté.

Non seulement belle mais généreuse et socialement engagée. Elle est parfaite.

– Vous croyez que je peux les mettre dans des boîtes et les emporter pour le personnel de mon hôtel ? m'a-t-elle demandé. Je suis sûre qu'ils ont tous des familles à nourrir.

– Excellente idée, ai-je dit. Vous êtes descendue à quel hôtel ?

– Le Palace.

– Moi aussi.

C'était le destin. C'était écrit.

– Je vais vous aider.

– Non, je vous en prie, s'est-elle exclamée en riant. Vous avez travaillé largement au-delà du minimum syndical. Solange me dit que vous avez trimé jour et nuit pour préparer cette expo.

– Solange exagère. Et puis, je n'ai plus besoin d'énergie, maintenant. Je vous demande juste une minute. Je vous retrouve dans les coulisses.

– Bon, d'accord, a dit Daisy. Merci.

168

Elle m'a souri encore une fois, avant de tourner les talons.

J'ai posé le plateau de cookies sur la première surface plane que j'aie trouvée, le temps de lire les messages de Webb sur mon BlackBerry. Je ne l'avais pas vu de la soirée, mais il avait fait preuve d'une incroyable efficacité pour l'envoi des e-mails. Le dernier, que je n'avais pas lu, datait de 00 h 36.

De : Webbn@com
À : Lineman@com
Objet : Bonne nuit
Super, l'expo ! Bravo. Tu étais occupé avec des gens, je n'ai pas voulu te déranger. Je suis rentré à l'hôtel. Là, je vais me coucher. Tu as toujours l'intention de faire la grasse mat, demain ? Moi aussi. Je ne te réveille pas et toi non plus, d'acc ?

Parfait. Tout se passait comme sur des roulettes et la roue du destin tournait en ma faveur.

Dans sa salle de préparation, Daisy était occupée à ranger dans des boîtes des cookies et des parts de *gooey butter cake*. Je tournais et retournais dans ma tête la façon dont j'allais lui faire mon aveu. *Vous n'auriez pas trouvé, par hasard, un billet dans votre sac à main, en arrivant à l'aéroport de Paris ?* Archinul ! *Daisy, que diriez-vous si je vous avouais que vous avez en face de vous le goujat qui a glissé un mot dans votre sac à main pour vous draguer ?* Non, non. Plutôt : *C'est bizarre. Je viens de recevoir un e-mail d'une femme qui m'a traité de goujat de première. Qu'en dites-vous ?*

169

Je voulais vraiment me tirer une balle dans le pied, ou quoi ? Pourquoi lui dire tout ça ?

Parce qu'il le fallait.

D'accord mais pourquoi pas dans vingt-cinq ans, quand on pourrait en rire ?

Je la regardais aligner soigneusement ses cookies dans des boîtes en carton.

Elle a levé les yeux.

– Pourquoi me regardez-vous comme ça ? J'ai du chocolat autour de la bouche ? Mon Dieu, je dois avoir une tête à faire peur.

– Pas du tout. Au contraire.

36

Daisy

Je suis persuadée que, quand nous sommes sortis du Palais de Cristal, Solange a cherché à me pousser dans les bras d'Andrew.

– Andrew, je compte sur toi pour raccompagner Daisy à l'hôtel, hein ?

– Bien sûr, a-t-il approuvé, des cartons de cookies plein les bras.

Il est adorable. On dirait un petit garçon avec son plateau de cantine.

– Très bien, a lancé Solange en me faisant un petit signe de la main. Parce que moi, je vais chez Maria Luciana, ce soir.

Maria Luciana. Qui était au courant ?

– Mais ne t'en fais pas, je te conduis à l'aéroport demain matin, Daisy.

– Il n'en est pas question. Mon avion décolle à 7 heures. Il n'y a pas de raison que tu te lèves aussi tôt. De toute façon, tu viens à Chicago le mois prochain, non ?

– Oui, a confirmé Solange. On se verra à ce moment-là, alors ?

– Absolument.

Solange m'a embrassée et a fait une grande révérence à Andrew.

– Je te dois une fière chandelle pour tout ce que tu as fait pour que cette expo ait lieu. Sincèrement. Je vous dois énormément à tous les deux, d'ailleurs.

– Je m'en souviendrai, a répondu Andrew.

– Bonne nuit, ai-je ajouté, tandis que nous descendions les marches du palais.

Et là, je me suis arrêtée net.

– Attends ! J'ai oublié de te rendre ton portable.

J'ai posé mon carton de gâteaux sur la première marche et entrepris de fouiller dans mon sac à main.

– Garde-le, a crié Solange par-dessus son épaule. Des téléphones, j'en ai au moins cinq ou six. Tu n'as qu'à t'en servir pendant ton séjour à Paris. Tu me le rendras à Chicago.

– Tu es sûre ?

– Mais oui ! Allez, au revoir !

Solange nous a envoyé des baisers, tandis que nous avancions sur l'allée de graviers, vers la sortie du parc du Retiro.

– Pourquoi ces événements sont-ils aussi épuisants ? ai-je demandé.

– Je me posais exactement la même question, a dit Andrew. Je suis trop vieux pour ça, maintenant.

Je me suis demandé quel âge il pouvait avoir. La cinquantaine ? Il ne portait pas d'alliance mais ça ne voulait pas dire qu'il était célibataire. C'était quand même bon signe, tout comme sa proposition de m'aider à servir les cookies. Subitement, je regrettais de devoir prendre un avion si tôt.

J'aurais trouvé ça sympa d'échanger nos impressions sur l'expo en prenant tranquillement le petit déjeuner.

Nous cheminions côte à côte entre deux rangées de grands arbres, vers la sortie du parc. Au bout, dans la rue, j'apercevais des gens qui brandissaient des pancartes.

– Il y a une manifestation ?

– Aucune idée, a répondu Andrew en regardant au loin la foule compacte.

– Regardez. Ils ont des pancartes découpées en forme de main.

– *Cinco por Cinco*, a lu Andrew.

– Cinq pour cinq ? me suis-je étonnée. Qu'est-ce que ça veut dire ?

Assis sur un banc du parc, un jeune couple regardait passer les manifestants. Andrew leur a demandé :

– *¿ Qué pasa con ellos ?*

– *Manifestación*, a répondu le jeune homme visiblement agacé. *Cinco por Cinco. Son locos.*

Et, joignant le geste à la parole, il a tourné son index sur sa tempe.

– Vous croyez qu'ils ont marché comme ça toute la soirée ? ai-je demandé à Andrew. J'en ai mal aux pieds, rien que de les regarder.

Il a souri et a changé de place avec moi, pour se trouver du côté des manifestants, au moment où nous allions passer près d'eux. Ils étaient tous habillés en noir. Les hommes, entre vingt et trente ans, avaient de longues barbes et des chapeaux noirs. Les femmes portaient des jupes et des châles. Vus de près, ils avaient l'air presque aussi inoffensifs

173

que les mennonites qui vendaient des pommes au marché paysan d'Oak Park.

Andrew et moi avons continué à cheminer quelques instants en silence.

– Dommage que vous deviez partir si tôt demain, a-t-il fini par dire.

Ah bon ? Mais... dommage pour qui ? Pour lui ou pour moi ? Ou bien était-ce simplement pour alimenter la conversation ? Il m'a semblé déceler une pointe de déception sincère dans sa voix.

– Il faut que je rentre, ai-je expliqué. J'ai laissé ma fille à Paris, chez Solange. Elle était trop malade pour faire le voyage.

Oh, mon Dieu, je vais passer pour une mère indigne.

– Elle a dix-huit ans, ai-je précisé.

– Ah. Moi j'ai un fils de dix-sept ans.

Donc il était marié. Bon, d'accord. Zut. Mince.

– Je l'ai à peine vu, depuis que nous sommes arrivés à Madrid, a-t-il poursuivi, presque sur le ton de la confession.

– Il passe son temps avec... votre femme ? ai-je aventuré. Enfin... hum, ou votre amie ?

D'habitude, je n'avais pas un tel culot. Mais là, j'étais fatiguée et mon avion partait dans six heures. De plus, sans que je sache pourquoi, je me sentais sur la même longueur d'ondes que ce type.

Ou alors c'est simplement la fatigue ? Je sais que j'ai besoin de vacances.

– Non, on est seuls, Webb et moi, a répondu Andrew.

– Oh ! ai-je lancé, beaucoup trop enthousiaste.

Avec un peu plus de retenue, j'ai ajouté :

– Ah, vous êtes juste tous les deux. C'est... c'est chouette.

Il était grand, mais il avait l'air très doux : une combinaison rare, dans la nature. Je ne sais pas pourquoi, j'ai repensé à un vieux chef, à l'école de cuisine, qui nous répétait à longueur de cours qu'une chair jeune est toujours impatiente. Ce qui ne manquait pas de susciter des regards amusés chez ses étudiants, les hommes comme les femmes.

Un quart d'heure plus tard, nous étions à l'hôtel. Andrew m'a regardée poser les boîtes de sucreries postnumériques sur les bras de deux grooms qui n'en revenaient pas. J'ai fait de mon mieux pour expliquer, dans mon espagnol scolaire, que je voulais qu'ils partagent ces gâteaux avec leurs collègues.

– Vous croyez qu'ils m'ont comprise ? ai-je demandé à Andrew.

– Moi-même, je ne suis pas sûr de vous comprendre. Mais j'aimerais tant. Est-ce que ce serait ridicule de vous proposer de boire un verre ?

– J'en serais ravie, au contraire.

J'ai regardé ma montre : 2 h 05.

37

Webb

Dès que Coco est allée dans la cuisine, j'ai craché dans ma main ce fromage immonde.

– Tu préfères du vin, du soda, de l'eau ou..., m'a-t-elle lancé.

Ce que je voulais, c'était du temps. Et un endroit pour me débarrasser de l'infâme guano que je ne pouvais plus garder dans la bouche : c'était humainement impossible.

– Euh... tu n'aurais pas de la tisane ? lui ai-je demandé en faisant une grimace.

Une tisane ? Elle était sûrement plus civilisée que mes potes qui pensaient qu'un mec qui boit de la tisane est forcément gay. De la cuisine, elle m'a lancé, d'un ton enjoué :

– Oh, si, bien sûr. Solange a plein de tisanes différentes. J'adore ça, moi aussi !

Subitement, Coco était revenue dans le séjour avec une boîte en bois remplie de sachets de thés et de tisanes. J'ai planqué le fromage que j'avais dans la main.

– Choisis, a-t-elle dit en souriant.

– Euh, attends voir. La camomille, ça me paraît bien.

Je lui ai tendu le premier sachet venu, de la main gauche,

puisque je cachais dans la main droite une boulette de fromage à moitié mâché.

Elle a hésité :

– Ça risque de te faire dormir.

Est-ce que ça voulait dire qu'elle voulait coucher avec moi ?

– Tu as raison. Alors, mon amie*, je prendrai la même chose que toi.

– Moi, j'aime bien le thé Earl Grey, a affirmé Coco.

Est-ce que c'était à double sens ? Earl Grey, c'était peut-être le nom de code d'une certaine pratique sexuelle ? Je n'arrive pas à réfléchir avec l'arrière-goût de poison qui me pourrit la bouche.

– Excellent, ai-je fait d'un ton faussement enjoué.

Pendant qu'elle retournait faire le thé dans la cuisine, j'ai cherché des yeux un endroit où planquer le fromage.

– J'en ai pour une seconde, m'a crié Coco.

– Prends ton temps !

J'aurais pu essayer de courir jusqu'à la salle de bains pour cracher cette horrible chose dans les toilettes, mais ça m'obligeait à passer par la cuisine. En cachant quelque chose dans ma main, ça aurait fait un peu louche, non ? En plus, à moins de coller le truc sur le côté de la cuvette, ça aurait fait un énorme *plouf*, accompagné d'une odeur nauséabonde. Elle aurait pensé que je venais de faire couler un bronze archipuant.

– Ça chauffe vachement vite, ces bouilloires électriques, a-t-elle commenté, depuis la cuisine. Je crois qu'en plus elles sont super économes en énergie. Je me demande pourquoi les gens n'en ont pas, chez nous. Tu sais, toi ?

– Mmh, j'ai fait. Je veux dire, non.

177

Elle continuait à s'affairer, dans la cuisine. Il fallait que je cogite à toute vitesse.

Je pouvais cacher le fromage puant sur une étagère de la bibliothèque, derrière une pile de livres. Mais l'odeur se répandrait très vite – et me trahirait.

Il n'y avait qu'une solution. Mon sac de voyage était posé à côté d'un futon, contre le mur. Je pouvais juste fourrer le fromage dedans, et m'en occuper plus tard. Une fois dans le train, je le balancerais dans les toilettes ou par la fenêtre ou je ne sais où. N'importe. Il fallait que je m'en débarrasse.

Je me sentais léviter au-dessus de la scène du crime pour m'abstraire de son horreur. J'ai lentement traversé la pièce avec l'impression de me regarder d'en haut. J'ai ouvert la poche latérale de mon sac et j'ai fourré le fromage dedans, non sans mal, vu le peu d'espace.

J'allais retirer ma main du sac quand Coco est revenue dans le séjour avec deux grandes tasses de thé.

– J'espère que tu aimes...

Elle a interrompu sa phrase.

– Qu'est-ce que tu fais ? De quel droit tu fouilles dans mon sac ?

38

Coco

J'ai bien vu que Webb était désolé.

– Ah, l'abruti ! s'est-il exclamé en se frappant le front. J'ai cru que c'était mon sac.

– T'inquiète pas, ai-je dit en lui tendant sa tasse de thé. Non, franchement, il n'y a pas de quoi en faire un fromage. T'as besoin de quelque chose dans mon sac ?

– Euh, non, a-t-il balbutié, un peu perturbé... Hum. Je verrai ça plus tard.

– OK.

J'ai soufflé sur mon thé avant d'en boire une gorgée.

Silence.

Il a bu une gorgée.

Nouveau silence, encore plus long.

– Tu voudras qu'on aille faire un tour après ? m'a-t-il demandé.

– Bien sûr.

Bon, donc il ne voulait pas faire l'amour tantrique avec moi. Bonne nouvelle. Super. Enfin, ça me convenait très bien. Ça valait peut-être mieux.

– Je devrais prendre mon appareil photo, ai-je dit. Je n'ai pas pu faire une seule photo depuis qu'on est là.

J'ai posé ma tasse par terre et avancé le bras vers mon sac. J'ai tiré la fermeture Éclair du dessus et là, j'ai été frappée d'horreur.

– Qu'est-ce qui se passe ? m'a demandé Webb en s'agenouillant pour voir devant quoi j'étais tombée en arrêt.

Je me suis précipitée sur lui et je l'ai fait tomber sur les fesses pour qu'il ne puisse pas voir ce que voyais.

– Rien ! ai-je crié, carrément hystérique. Rien du tout !

– J'ai chiffonné tes fringues, ou quoi ? m'a demandé Webb. Tu veux que je te rachète une garde-robe ?

Il était sympa de faire semblant de ne pas comprendre. Mais comment pouvait-il ne pas avoir vu le soutien-gorge rose rembourré qui avait pour ainsi dire sauté de mon sac quand je l'avais ouvert ?

J'ai aboyé :

– Je t'avais demandé de ne pas fouiller dans mes affaires !

– J'ai pas fouillé, a-t-il objecté. Mais enfin, il a bien fallu que j'y mette un peu mon nez, pour voir que ce n'étaient pas les miennes. À part ça...

– Peu importe, ai-je répliqué. J'ai pas envie d'en parler.

Et je n'ai plus rien dit. Mais si ma mère avait été là, je l'aurais étranglée : parce que c'était sur son conseil que j'avais emporté mes sous-vêtements les plus vieux et les plus usés. Venir à Paris avec des slips et des soutiens-gorge tout avachis et les remplacer par des neufs m'avait semblé une bonne idée, à ce moment-là. Mais c'était une semaine plus tôt ! Et maintenant, Webb avait vu les vieilles culottes de grand-mère à fleurs, défraîchies et les soutifs tout détendus que je ne mettais plus depuis plus d'un an, au bas mot, primo parce qu'ils étaient hideux, deuzio parce que le rembourrage était devenu tout grumeleux.

J'ai eu envie de crier à pleins poumons : *Si t'imagines que je porte des soutiens-gorge rembourrés, tu te trompes. À l'heure qu'il est, j'ai une splendide parure en soie bleu nuit qui vient des Galeries Lafayette et qui te rendrait fou de désir, si tu le savais.*

Mais évidemment, je ne pouvais pas lui dire ça. Je comprenais, maintenant, pourquoi il n'avait pas envie de faire l'amour tantrique avec moi.

J'ai pris mon appareil photo dans le sac, en m'efforçant de ne pas pleurer, et j'ai dit sèchement :

– On y va.

– Non mais sérieusement, tu veux que je te rachète des nouvelles fringues ou quelque chose ? m'a demandé Webb. Je les ai mal pliées ou je les ai, je sais pas moi, *contaminées* ?

J'ai ricané.

– Ne t'en fais pas pour ça. Allez, on y va.

On a d'abord fait le tour du quartier de Solange.

– On pourrait aller à pied jusqu'au Sacré-Cœur, ai-je suggéré. C'est pas très loin.

– Oh, ce serait trop top ! a-t-il répondu.

On a marché un moment sans rien dire.

Et puis, Webb a rompu le silence :

– C'est vraiment cool comme prénom, Coco.

– Ma mère a vécu un moment à Paris et elle a suivi des cours dans une école de cuisine, avec un chef pâtissier qui utilisait beaucoup de noix de coco. Et puis elle adore la haute couture, surtout Chanel. Une maison fondée par une grande dame qui s'appelait Coco Chanel.

– Et en plus, a dit Webb, c'est doux à prononcer, Coco.

– J'aime bien Webb aussi, comme prénom.

– Là, tu dis ça par politesse, Esmeralda.

– Pas du tout. J'aime bien, vraiment. Mais je ne connais absolument pas ce Jimmy Webb.

– Tu connais sûrement ses chansons. Il a fait plusieurs tubes, dans les années soixante-dix.

– Comme quoi ?

– Le plus célèbre, c'était *Wichita Lineman*. Glen Campbell a fait un tabac avec ça.

– Jamais entendu parler de Glen Campbell. Ni de cette chanson.

– Mais si, je suis sûr que si, a-t-il insisté.

Et il s'est mis à chanter dans un micro invisible, en descendant la petite rue dans laquelle on était.

I am a lineman for the country and I drive the main road
Searchin' in the sun for another overload.
I hear you singin' in the wire. I can hear you through the whine
And the Wichita Lineman is still on the liiiiiiiiiiiiine.

J'étais écroulée de rire. Il avait presque réussi à me faire oublier mon horrible soutien-gorge rose rembourré. Presque.

– C'est à mourir de rire, ce truc, ai-je commenté. Mais je ne comprends rien aux paroles. Ça parle d'un type qui répare les téléphones et qui écoute une femme au télé-

phone, c'est ça ? Il l'écoute chanter, dans la ligne télépho-
nique ? Il écoute qui ? C'est un pervers, ou quoi ?

– Aucune idée. Ou des lignes électriques, peut-être. Et le
deuxième couplet est encore plus bizarre.

– Chante-le.

– Arrête, a-t-il répondu.

Il avait l'air gêné, maintenant. Je n'aurais pas dû rire.

– Mais si, j'ai vraiment envie de l'entendre. S'il te plaît.

– C'est pas gentil pour Jimmy Webb, a-t-il argumenté,
tout en pointant le doigt de l'autre côté de la rue. C'est pas
un cybercafé, là-bas ? Viens, on va regarder sur YouTube.

On a acheté une heure de crédit pour regarder Glen
Campbell chanter *Wichita Lineman*. On a bien écouté les
paroles du deuxième couplet.

And I need you more than want you, and I want you for all time
And the Wichita Lineman is still on the line.

– Il a plus besoin d'elle qu'envie d'elle ? j'ai fait remarquer. C'est pas un peu insultant, ça ?

– Ben si, a confirmé Webb. Tu imagines un vieux mec
qui est malheureux dans son couple, mais il ne sait pas
faire la cuisine, il ne sait pas où sont rangés les torchons,
alors il est obligé de rester avec sa femme.

– Mais il la veut pour toujours auprès de lui. C'est pas
logique.

– Sauf si ça lui plaît d'avoir besoin d'elle, a suggéré
Webb.

– Alors c'est un raté ; et un boulet, en plus, ai-je conclu.

Je me demandais pourquoi je m'acharnais à dénigrer la chanson écrite par l'homonyme de Webb.

J'ai ajouté :

– Par contre, la mélodie est belle.

– Ouais, a approuvé Webb. C'est le genre de musique qui t'envoûte, un peu. Écoute ça.

Il a téléchargé un clip de Michael Stipe, le chanteur de R.E.M., interprétant *Wichita Lineman*.

– C'est beau mais un peu triste, ai-je commenté à la fin. Ce type est amoureux, pourtant il y a quelque chose qui ne tourne pas rond. Et pourquoi il dit qu'il est toujours sur la ligne ? Je comprends pas.

– Moi non plus, a avoué Webb. Jimmy Webb a écrit aussi *MacArthur Park*.

J'ai haussé les épaules.

– Jamais entendu parler.

– C'est la chanson la plus débile que je connaisse. Ça commence comme ça : « Quelqu'un a laissé le gâteau dehors sous la pluie. »

– Oh attends, je la connais ! C'était un tube disco, non ?

On a regardé une vidéo sur YouTube de Donna Summer en train de chanter cette chanson avec des trémolos et tout. Le type qui était sur l'ordinateur voisin a levé les yeux au ciel.

– On fait trop de bruit, ai-je dit.

– Bouge pas, a chuchoté Webb. Il faut que je te montre ça, aussi.

Il a téléchargé une vidéo de Sammy Davis Jr. chantant *MacArthur Park*. Ensuite on a regardé la version d'Andy

Williams. Puis celle de Diana Ross. The Four Tops. Paynard Ferguson. Tony Bennett.

J'avais mal au ventre tellement je riais. Le voisin est parti en marmonnant je ne sais quoi en français.

Webb s'est glissé devant l'ordinateur qu'il avait quitté et a tapé : *Ce PC a un virus. Veuillez en utiliser un autre.*

– Qu'est-ce que tu fais ? ai-je chuchoté.

– Attends, attends.

Webb a surligné la phrase et l'a traduite en français.

– Voilà. Comme ça, personne ne viendra nous enquiquiner.

Il est trop coooool.

– Tu ne serais pas un peu machiavélique ?

– C'est possible, a-t-il reconnu.

Puis il m'a fait une révérence.

– Mais mon Esmeralda a besoin de son espace vital.

Il a souri, avant d'ajouter :

– Eh, tu sais que notre truc, ça ressemble un peu à un rendez-vous amoureux ?

– C'est vrai ! ai-je avoué.

Il est allé à la caisse acheter un peu plus de temps de connexion. En revenant, il a téléchargé Liza Minelli interprétant *MacArthur Park*. Tout en chantant, il m'a pris les mains et m'a regardée au fond des yeux.

– Je crois que je ne vais pas supporter, il a fallu si longtemps pour le confectionner. Et je ne retrouverai jamais la recette. *Receeeeeeette.*

– C'est dingue ! ai-je commenté. Et ce qui est drôle, c'est le sérieux avec lequel ils le chantent tous. C'est n'importe quoi ! Il faut quand même être un crétin congénital pour laisser un gâteau sous la pluie, non ?

Après, on a trouvé les chansons de Jimmy Webb sur le Net, y compris *Up Up and Away*.

– Je l'ai entendue une fois, celle-là, ai-je dit. *Up Up and Away in my beautiful balloon*[1].

– C'est une chanson sur le préservatif, a dit Webb.

– Non ! ?

– C'est ce que j'ai entendu dire.

– Beurk ! C'est dégoûtant.

Pourquoi je jouais les saintes-nitouches ?

– Montre-moi ton lycée, a-t-il dit, pour changer de sujet. On a fait la visite virtuelle sur le site web. Il a eu l'air impressionné par l'histoire du lycée et par le fait que ma mère et mes grands-parents y étaient allés aussi. Ensuite, je lui ai montré les restaurants où maman avait travaillé. Et enfin, le site de notre association de quartier, sur lequel il y avait une photo de notre maison.

– Bon, assez parlé de moi, ai-je dit. C'est ton tour.

Il a téléchargé le site de son lycée et a cliqué sur le lien de la page faculté. Puis il a commencé à me parler des profs, notamment de sa prof d'anglais préférée, miss Fogerty et de son prof de conduite[2], un pervers sexuel.

– C'est pas vrai ! ai-je crié. Le nôtre aussi, il est sadique.

– Ah oui ? Tu crois que c'est le métier qui veut ça ? Notre prof est tellement odieux que j'ai refusé de suivre ses cours.

---

1. « Hop, hop, décollons, dans mon beau ballon » (NDT).
2. Aux États-Unis, les élèves des collèges et lycées ont des cours d'instruction routière dès l'âge de onze ans (NDT).

J'ai envoyé un e-mail au proviseur pour lui signaler que, tant qu'ils n'auraient pas trouvé un prof qui ne passe pas son temps à harceler les filles, je boycotterais les cours.

– T'es trop sympa, toi, ai-je dit. Et alors, comment tu as fait ? Tu as dû aller dans une école de conduite privée ?

– Nan. J'ai tout simplement laissé tomber les cours de conduite.

– Tu as carrément renoncé à passer ton permis ?

– Ouais. Je préfère marcher ou prendre les transports en commun, a affirmé Webb.

Mais il est trop chou, ce mec. Qu'est-ce que ça peut bien faire qu'il ait vu mon soutif rose rembourré, après tout ?

J'ai recherché le lien de mon lycée pour lui montrer une photo de mon prof de conduite. Il a hurlé qu'ils se ressemblaient comme deux gouttes d'eau.

– On devrait se prendre en photo, ai-je proposé.

J'ai tenu l'appareil photo devant nous et je nous ai pris tous les deux, avec son prof de conduite en arrière-plan. Puis j'en ai fait une deuxième avec mon prof de conduite derrière.

– On en prend une avec Glen Campbell ? a-t-il suggéré.

– Génial !

Je ne pense même plus à mon soutien-gorge rose !

Il a téléchargé une vidéo de Glen qu'il a prise comme fond sonore pendant que j'installais l'appareil photo.

– Parfait, ai-je annoncé. On devrait en faire une aussi avec la tour Eiffel dans le fond. Mais la tour Eiffel en vrai, tu vois.

– Super idée, s'est exclamé Webb. On a le temps ?

– Quelle heure est-il ? J'ai pas mon iPhone.

187

– Moi non plus, a dit Webb. Comment on va savoir l'heure qu'il est... Ah, attends. Je suis bête !

Il a approché son visage de l'écran de l'ordinateur pour regarder la minuscule horloge, dans le coin en bas à droite.

– Il est presque 3 heures. Mon train part à 7 h 10.

– Alors, c'est bon. Je sais comment retourner à la gare de Lyon, d'ici.

Webb a fait la grimace.

– Attends... Mince ! Je crois que je pars d'une autre gare. Gare de... quelque chose.

– Elles s'appellent toutes *gare de* quelque chose, ai-je expliqué. *Gare* c'est le mot français pour *station*.

Il a passé son bras autour de mon épaule et m'a soufflé dans l'oreille :

– Mademoiselle Esmeralda est *the* géniale ingénue*.

– Mais non, me suis-je esclaffée. Où est l'horaire de train de monsieur* ?

Il a fouillé dans ses poches.

– Je l'ai quelque part. Ah ben non...

– Quoi ?

– Je crois que je l'ai mis dans ton sac. Qui est resté à l'appartement.

– À l'appartement, où se trouve aussi ton sac, d'ailleurs, ai-je ajouté en riant. On ferait mieux de retourner chez Solange pour voir comment on va à ta gare de... je ne sais quoi.

Pas la peine de lui dire qu'il m'avait fallu une heure pour trouver comment aller à la gare de Lyon en métro et que j'avais quand même réussi à me tromper sur le voyage de retour de la gare à chez Solange.

– Allez viens, a dit Webb. On fait la course.

Et avant que j'aie le temps de réagir, nous courions, main dans la main, vers chez Solange, en chantant à tue-tête des chansons de Jimmy Webb et en riant comme des fous.

39

Andrew

Daisy et moi avons trouvé une petite table, dans un coin du bar de l'hôtel tout en boiseries. Après avoir commandé, je me suis excusé, pour aller prendre des nouvelles de Webb.

– Tout va bien ? m'a demandé Daisy, à mon retour.

– Il dort. Sous une montagne de couvertures.

Devais-je lui confier mes inquiétudes à propos de Webb ? N'était-ce pas trahir mon fils ? Mais Daisy, elle, savait peut-être un peu mieux que moi ce que ces adolescents ont dans la tête.

Finalement, j'ai sauté à pieds joints dans le vif du sujet :

– Il passe le plus clair de son temps devant ce maudit ordinateur. Je suis très inquiet, j'ai peur qu'il devienne asocial, à force. Il y a une telle... inertie, chez lui. Même ici, il reste des heures devant un écran, à jouer ou à faire je ne sais quoi.

– Ma fille est pareille, a répondu Daisy en buvant une gorgée de vin. Mais vous savez, je ne pense pas que ce soit une si mauvaise chose. Coco – et j'imagine que c'est la même chose pour votre fils...– ils ont des amis dans le monde entier, avec les réseaux sociaux et les forums sur lesquels ils naviguent.

– Certes. Mais peut-on réellement choisir ces prétendus amis ? Je ne suis pas sûr d'être d'accord avec toutes ces choses qui se font en ligne. C'est un peu comme l'exposition. L'amour numérique, moi, ça me déprime complètement.

Oh là là ! Pourquoi étais-je aussi négatif ? Le mauvais bourbon me montait à la tête. Pourquoi les Espagnols n'importaient-ils que les bourbons américains les moins chers ? J'aurais dû dîner. Mais il y avait des olives et des cacahouètes, sur la table. Je n'avais qu'à piocher dedans, elles étaient là pour ça.

J'ai pris une poignée de cacahouètes et j'en ai fait tomber la moitié. Daisy a éclaté de rire. Un rire franc, spontané qui la rendait encore plus belle. C'était le genre de femme qui devait bien vieillir. Je ne comprenais par pourquoi les femmes s'ingéniaient à cacher les jolies petites rides d'expression qui se dessinaient autour de leurs yeux.

– Mon fils ne regarde même pas les gens, ai-je soupiré. Je suis peut-être trop dur avec lui, mais enfin, nous sommes en Europe. Il devrait tomber amoureux d'une jeune Espagnole rencontrée à la terrasse d'un café ou au moins regarder passer les filles de loin, non ?

Pas la peine d'évoquer la méthode du petit billet glissé dans les sacs à main des belles femmes que l'on peut rencontrer dans les avions.

– La réputation des idylles qu'on peut vivre en Europe est un peu surfaite, a commenté Daisy en enfournant une olive.

191

– On dirait que vous avez une certaine expérience dans ce domaine.

Elle m'a dévisagé en plissant les yeux, comme si elle se demandait si oui ou non elle devait en dire davantage.

– Ma fille, a-t-elle fini par répondre, a été conçue à l'époque où je suivais des cours dans une école de cuisine, à Paris.

– Oh.

– Eh oui, a-t-elle dit en ouvrant grands les yeux.

– Et... ça s'est terminé comment, si ce n'est pas trop indiscret ?

– Ça a été compliqué. C'était un maître pâtissier. Il a paru heureux quand je lui ai appris que j'étais enceinte. Mais il m'a dit qu'il était incapable d'être monogame.

– Oh, ai-je répété.

– Oui, *oh*, a singé Daisy avec un sourire.

– Ça avait au moins le mérite d'être honnête.

– Exact. Mais bon, c'est de l'histoire ancienne, je ne veux pas vous ennuyer avec ça. Je ne me souviens même pas des détails. Je souffre d'un Alzheimer relationnel.

– Un Alzheimer relationnel ?

– Oui, quelque chose comme ça. Dès qu'une relation se termine, j'oublie tout, j'efface. Mais il y a une chose dont je me souviens, c'est qu'une fois qu'il a eu dit ça, tout a été plus facile pour moi. Parce que je savais que je ne voulais pas élever un enfant avec lui, ni même l'épouser – chose qu'il ne m'avait d'ailleurs pas proposée.

– Un goujat de première, si je comprends bien, ai-je commenté.

Pourquoi j'avais dit ça ? Elle va faire le rapprochement. Elle va

192

deviner. Si ce n'est pas déjà fait. Qu'est-ce qui m'avait pris d'écrire ce message, dans l'avion, bordel ? Attends. Elle parle. Écoute-la, goujat de première !

– Il est resté en contact avec vous ou avec votre fille ? ai-je demandé.

– Non. Ah, quoique... Si, il lui a envoyé une poupée en porcelaine et une carte d'anniversaire pour ses cinq ans.

– Mmm, ai-je fait. Trop peu et trop tard.

– On peut dire ça comme ça, oui, a convenu Daisy. Surtout qu'elle avait sept ans, à l'époque.

Elle a souri en secouant la tête à l'évocation de ce souvenir.

– Je me félicite de lui avoir tourné le dos. Je suis assez douée pour m'en aller, fuir les choses – peut-être même trop douée, en fait.

– Oui, mais quand on est dans une situation difficile, on sait bien qu'à un moment ou à un autre il faut décider d'en sortir.

– C'est vrai, a-t-elle admis en faisant tinter son verre de vin contre le mien, pour trinquer. Vous n'allez pas me croire, mais j'ai quitté ma place dans le meilleur restaurant de Chicago à cause d'une histoire de sauce pour steak.

– De sauce pour steak ?

– Un truc infâme, a-t-elle dit. Fait avec de l'eau, du sucre et de l'épaississant. Le patron voulait qu'on ait une sauce en réserve. Au cas où un client aurait voulu de la sauce sur son steak, vous voyez ?

Elle avait dit cela comme s'il s'agissait d'une hérésie.

– Et alors ?

– Alors j'ai dit : très bien. Mettez votre saleté de sauce en réserve. Moi, je m'en vais.

Elle a bu une gorgée.

– Ça a fait une semaine hier.

– Je suis désolé pour vous.

Elle a agité la main, comme pour chasser une mouche.

– Non, non, aucune importance. J'avais fini ce que j'avais à faire là-bas. Et le restaurant d'avant, je l'avais quitté pour un problème de télé.

– De télévision ? ai-je demandé.

– Oui. Le patron de ce merveilleux restaurant avait décidé de couvrir d'écrans plats tout un mur du bar.

Elle a promené son regard autour de la pièce.

– Vous avez remarqué qu'en Europe les gens ne sont pas fous d'écrans télé comme en Amérique.

– Peut-être parce qu'ils n'ont pas besoin de se distraire avec des événements sportifs, ai-je suggéré, estimant qu'il valait mieux attendre un autre moment pour avouer que j'étais un supporter fanatique des Cardinals de Saint Louis. Les Européens ont de la conversation.

– Exactement, a-t-elle dit. Quel mal y a-t-il à parler ? N'est-ce pas pour cela que les bars ont été inventés ? Pour qu'on puisse discuter avec quelqu'un en buvant un verre, plutôt que de rester seul chez soi à picoler ?

J'aimais sa franchise. J'aimais son sourire. Son visage. Toutes les émotions qui animaient ses yeux, sa bouche. J'y devinais une force, une énergie qui me donnaient envie d'en savoir davantage sur elle, même si je ne la comprenais pas complètement. Son visage était interrogateur et cela me plaisait. Je l'avais comparée à tort à un Modigliani. Elle ressemblait à une chanson de Jimmy Webb.

– Parlez-moi de votre fille, ai-je dit. Elle s'appelle Coco, comme Coco Chanel ?

– Bravo, a souri Daisy. J'ai une énorme admiration pour Coco Chanel.

– Moi, je ne sais pas grand-chose d'elle, ai-je avoué.

– Eh bien, elle a appris la couture à l'orphelinat. Elle s'est toujours battue comme une lionne. Elle a rencontré d'innombrables d'obstacles, mais elle a fini par réussir, en travaillant d'arrache-pied. Et aussi parce qu'elle a eu cette idée révolutionnaire de considérer que les femmes devaient s'habiller pour elles-mêmes et non pour les hommes. Elle ne s'est jamais mariée, ce qui était rare, de son temps. Ça, plus tout le reste a amené les gens à la considérer comme un nouveau genre de femme : une femme indépendante, qui réussit et qui a du style.

– J'en connais une autre, ai-je dit en levant mon verre, tandis que Daisy portait le sien à ses lèvres.

Même dans la lumière tamisée, j'ai vu qu'elle avait rougi. Une femme qui rougit. Qu'en aurait dit Coco Chanel ?

– Je crois que ce que j'aimais le plus chez elle, a continué Daisy, c'était qu'elle a su rendre belle la simplicité. Ça paraît un jeu d'enfant aujourd'hui, mais à l'époque, c'était révolutionnaire. Et ça le reste. Combien de fois avez-vous dîné dans un restaurant soi-disant gastronomique où la nourriture n'a pas de goût, parce qu'elle baigne dans... l'innovation ?

Je n'ai pu réprimer un sourire.

– Vous voyez ce que je veux dire, a-t-elle insisté. La soupe aux carottes doit avoir le goût de carotte. Un tarte au citron doit avoir le goût de citron. Tous ces chefs postmodernes, qui se piquent de créativité, ça me rend folle.

Je me sentais incroyablement à l'aise, en compagnie de cette femme, mais pas seulement à l'aise. Il y avait aussi chez elle quelque chose de troublant, d'agréablement troublant. Sa *passion*. Ce dont manquait précisément l'exposition du Palais de Cristal.

– J'ai l'impression que vous vous seriez entendue à merveille avec Mademoiselle Chanel, ai-je fait remarquer.

– Vous êtes trop gentil. Mais c'est important d'apprendre à ne compter que sur soi-même. Je voudrais bien que ma fille soit comme ça. Mais vous savez ce qu'on dit : fais attention aux vœux que tu fais.

– Comment ça ?

– Eh bien, a répondu Daisy en secouant la tête. Ma fille est complètement indépendante. Dix-huit ans et déjà prête à courir le monde. Elle n'a plus besoin de moi.

– C'est merveilleux, ai-je dit. C'est ce que j'essaie d'obtenir avec mon fils. Je veux qu'il vive sans se soucier de ce que j'en pense ou de ce que les autres en pensent. Je veux qu'il ait de l'ambition.

– J'admets que ça compte beaucoup. Mais vous voyez, Coco est très exigeante avec elle-même. Je ne sais pas ce qu'elle fera le jour où elle aura un 16 ou un 17 à un devoir. Elle est déjà hystérique quand elle a un 18,5. Ça ne sert à rien. La vie n'est pas comme ça.

– Ça, c'est bien vrai.

– Chaque année je lui propose de venir avec moi à Paris, poursuivait Daisy. Mais elle ne veut jamais manquer les

196

cours. Elle n'y était plus venue depuis l'âge de huit ans. Et c'était son choix, pas le mien. Vous imaginez ?

– Non. Webb, lui, cherche toujours des excuses pour manquer les cours.

– La seule raison qui l'ait décidée à venir, cette fois-ci, c'est que j'ai pu m'organiser pour que nous partions pendant ses vacances de printemps. Elle cherche toujours la perfection. Et pour moi, ça ne peut mener qu'au désastre.

– En tout cas, ça ne mène pas au bonheur.

– Exactement, a confirmé Daisy. Et à quoi bon vivre sans joie ni plaisir ?

Sur ce, elle a commandé une nouvelle tournée.

– Comment se fait-il que vous ayez un fils qui se prénomme Webb ? a-t-elle demandé. Il y a sûrement une histoire, là derrière.

– Oui, mais c'est une longue histoire.

Elle a regardé sa montre.

– Mon avion ne décolle que dans quatre heures.

40

Daisy

– Vous tenez vraiment à l'entendre ? m'a demandé Andrew, avec un sourire las.

J'aurais préféré une longue histoire insignifiante : j'aurais pu ainsi écouter d'une oreille, tout en contemplant tranquillement son visage. Mais cela n'avait apparemment rien d'anodin.

– Bien sûr. Je suis tout ouïe. Je dirais même curieuse.

Il a souri. *Oh, ce sourire. Ce qu'il est craquant cet homme !*

– Bon, a-t-il dit en reprenant son sérieux. Je suis le père de l'enfant de ma sœur.

Oh put...

– Pas le père biologique, s'est-il empressé d'ajouter. J'ai adopté Webb à sa naissance. C'est le fils de ma sœur, Laura.

– Elle ne voulait pas d'enfant ?

Il a pris le temps de réfléchir, tout en buvant une gorgée de bourbon.

– Elle faisait partie d'une secte. C'est une histoire compliquée, mais effectivement, elle ne voulait pas d'enfant. Ou bien le chef de cette secte n'en voulait pas. Il en était le père.

– Oh, le salaud ! Mais c'est formidable que vous ayez accepté de l'adopter.

– Il n'y a rien de chevaleresque là-dedans, croyez-moi. À vrai dire, je crois que je n'ai pas assez réfléchi avant de m'engager. J'avais trente-six ans, à l'époque.

J'ai cessé d'écouter pour calculer. *Trente-six plus dix-sept égale. Égale quoi ? Il me faut un papier et un crayon. Réfléchis ! 36 +17 = 43. C'est ça ? Mais non idiote ! Et la retenue ? Cinquante-trois. Il a cinquante-trois ans. Et moi, j'ai quel âge ? Quarante-quatre ? Non quarante-cinq. Neuf ans de différence ? Non, huit ! De deux choses l'une ou je suis idiote ou je suis saoule. Tais-toi et écoute !*

– Mmm, mmm, ai-je fait pour rattraper la conversation.

– Laura savait qu'elle attendait un garçon. Je me suis dit, je connais le monde des garçons, je devrais être capable de l'élever. Il n'y avait personne d'autre, de toute façon. Ma sœur n'a pas d'autre parent que moi. Et donc, je suis allé le chercher à la maternité.

– Continuez.

– C'est pour ça, j'imagine, que j'ai peur que Webb devienne dépendant de quelqu'un ou de quelque chose – comme ce maudit ordinateur. Laura a un talent inné pour la peinture abstraite, un don naturel tel que je n'en ai jamais vu chez personne d'autre. Mais elle a trouvé le moyen de cambrioler une banque et de tuer deux guichetiers pour le compte de son soi-disant petit ami, le chef de la secte. Lui a pris trois ans. Elle, vingt-cinq.

– Oh mon Dieu, ai-je murmuré.

– Eh oui. Je trouve que mon fils en a assez lourd sur

le dos comme ça et je veux à tout prix lui éviter d'autres problèmes.

– Je suis vraiment... désolée pour vous.

J'ai avancé le bras, au-dessus de la table, pour poser ma main sur la sienne. Mais il avait déjà croisé ses mains derrière la tête et basculé sa chaise en arrière.

– Ah non, je vous en prie, c'est plutôt à moi d'être désolé. Je ne raconte pas ça à beaucoup de gens, vous savez. Avec une histoire pareille, on fait fuir un auditoire.

– Je présume que votre fils est au courant de tout cela ?

– Oui, mais pas dans le détail.

Andrew s'est tu un instant.

– Si nous changions de sujet ?

– Bien sûr, ai-je dit.

C'était complètement irrationnel, mais j'éprouvais subitement une énorme tendresse pour cet homme. Je sentais comme une vague monter en moi.

– Mais parlez-moi quand même de son prénom, Webb. J'aime bien ce prénom.

Son visage s'est éclairé.

– Je lui ai donné le nom de mon auteur-compositeur favori, Jimmy Webb.

J'ai eu un mouvement de recul.

– Je devrais le connaître ?

– Vous le connaissez certainement, mais sans le savoir, a-t-il répondu, avec beaucoup de tact. Il est un peu comme votre amie, Coco Chanel. Jimmy Webb n'était pas orphelin, mais il est né dans une famille modeste de l'Oklahoma. Son père était un pasteur baptiste : il ne supportait pas l'idée que son fils devienne auteur-compositeur. Il ne tolérait à la maison que le gospel blanc et la musique country. Mais un jour, il a dû se rendre à l'évidence : Jimmy voulait vraiment faire de la musique. Alors son père lui a donné quarante dollars en lui disant : « C'est peu, mais c'est tout ce que j'ai. » Il a dit aussi à son fils qu'écrire des chansons allait lui briser le cœur.

– Briser le cœur de qui ? Du père ou du fils ?

– Du fils. Briser le cœur de Jimmy.

– Oh, c'est triste. Mais c'est beau, en même temps.

– Tout à fait d'accord. Parce que c'est bien là le rôle de l'art : vous briser le cœur. Vous émouvoir. Si l'art ne vous émeut pas, c'est qu'il ne sert à rien.

Andrew était un artiste dans l'âme, mais sans avoir aucun des complexes propres à presque tous les artistes, comme celui d'être fauché. Il était gentil. Il était généreux. Il avait de belles manières. Et je voyais beaucoup de chaleur dans son visage, à la lueur des bougies. J'espérais que le mien aussi paraissait plus harmonieux, moins défait, dans cette lumière tamisée, que sous les néons de l'arrière-salle, au musée.

– Et l'exposition de ce soir, elle vous a ému ? ai-je demandé.

– Pas particulièrement, a reconnu Andrew. Mais je n'appartiens pas au groupe démographique ciblé par ce type d'expo. Je préfère la peinture.

Nous avons parlé des musées que nous aimions. Il les connaissait tous mais l'avouait avec une remarquable modestie. Ça changeait des poseurs qui allaient à l'Institut d'art de Chicago une fois par an et qui se prenaient pour des artistes.

– Il y a des musées extraordinaires, en Europe. Et vous à Chicago, vous avez l'Institut d'art qui est une vraie merveille. Mais ceux où je me régale le plus sont ceux de Kansas City, de Tulsa et de Toledo, dans l'Ohio.

– Allez dire ça à un New-Yorkais, ai-je répliqué.

– Il ne me croirait pas. C'est comme quand je dis que mon chanteur préféré est Glen Campbell.

– Et c'est vrai ?

– Oui.

Il a éclaté de rire.

– Maintenant, vous savez tout de moi. Non, mais honnêtement, qu'est-ce qu'il y a de mieux que *Wichita Lineman* ? *By the Time I Get to Phoenix*, *Gentle on my Mind* ?

– Ah, celle-ci, je m'en souviens. Je trouvais ça tellement romantique, cette fille qui laissait le garçon rouler son sac de couchage et le fourrer sous son canapé. Aujourd'hui, je penserais : eh, dis donc mon vieux, du balai, trouve-toi une maison, va dans ton lit. Arrête d'envahir mon espace.

Il a ri, mais un peu tristement. *Oh, je crois que je l'ai vexé.*

– C'est justement ce qui m'inquiète chez mon fils, a dit Andrew. Qu'il devienne le genre de type qui laisse son sac de couchage derrière le canapé de je ne sais quelle fille.

– Mais il y a un âge où c'est tout à fait charmant et romantique, ai-je objecté. Pour les hommes comme pour les femmes.

– Ça doit être un truc analogique, a conclu Andrew.

J'ai saisi ma chance.

– Je trouve que l'amour, c'est plus compliqué aujourd'hui, à l'ère numérique, postnumérique ou Dieu sait comment il faut l'appeler. C'est plus difficile d'aimer.

– Vous trouvez ? s'est étonné Andrew.

– Oui. Vous le voyez bien avec votre fils.

– Mon fils ne sort avec aucune fille. Aucune.

– Ma fille non plus. Elle trouve ça ringard de sortir. Ils ne comprennent pas ce plaisir-là. Aller dîner ensemble et se faire un cinéma après, ce n'est plus dans l'air du temps.

– Ils traînent en bande, c'est tout ce qu'ils font, a-t-il ajouté.

– Ils ne se tiennent pas non plus par la main. Ou alors par dérision, en levant les yeux au ciel.

Andrew a souri.

– Se tenir par la main. Au fond c'est digital, donc numérique, non ? Digital, doigt, c'est la même famille.

– Absolument. Je n'avais jamais fait le rapprochement. Donc à l'ère postnumérique, ou post-digitale, les gens ne se touchent pas, c'est ça ? Vous savez, quand j'étais à la fac, je suis sortie avec un type pendant un an, à peu près.

– Vous voulez dire que vous vous promeniez main dans la main ? a dit Andrew en pouffant de rire.

– Oui. Et pendant les vacances, comme on ne pouvait pas se tenir par la main, on s'écrivait des lettres – parce qu'à l'époque, les appels longue distance coûtaient cher.

Il souriait.

– Je me souviens de cette époque.

– Et je vais vous dire autre chose, ai-je poursuivi, encouragée par ses yeux.

– Dites-moi.

– Parfois on se téléphonait et on laissait sonner deux fois, puis on raccrochait. Comme ça, ça ne coûtait rien. Mais aussi parce que...

203

– C'était votre code à vous, a deviné Andrew.

– Oui. C'était romantique.

Euh, attends, romantique, vraiment ? Il y avait si longtemps que je m'en souvenais à peine. Eh bien oui, ça devait être romantique. Enfin, admettons.

– C'est ça, a-t-il dit. Et, bien sûr, le type en question montait dans votre estime chaque fois que le téléphone sonnait, chez vous. Mais s'il s'agissait d'une erreur, si la personne qui appelait se rendait compte qu'elle s'était trompée de numéro et raccrochait au bout d'une sonnerie ?

– Taisez-vous ! me suis-je exclamée en riant et en me bouchant les oreilles. Vous n'avez pas le droit de gâcher un aussi beau souvenir.

Sa voix s'est radoucie.

– Je m'en voudrais.

Nous étions seuls. Le bar était fermé depuis une heure. Le barman lui-même était parti.

– Vous avez un avion à prendre, a dit Andrew, et moi, je suis là qui vous empêche d'aller dormir.

– Oh, il n'y a *aucun* problème, ai-je lancé, avec un peu trop d'empressement.

N'en fais pas trop, ma fille. Sinon, il va s'imaginer que tu veux qu'il passe la nuit dans ta chambre.

– Vous avez envie de faire un tour ? a-t-il proposé.

– J'aimerais bien, oui.

Ce long après-midi passé à confectionner de la pâtisserie m'avait épuisée. Et à présent le vin me faisait un peu tourner la tête. Mais l'air de cette nuit était chaud et délicieux.

De l'autre côté de la rue, un groupe de jeunes gens à la mine patibulaire vendaient je ne sais quoi d'exposé sur une

204

table pliante : ça ressemblait à un attirail pour se droguer. Cette fois encore, Andrew a changé de place avec moi, pour marcher du côté de la rue.

– Revenons à votre *gooey butter cake*, a-t-il dit.

Ça m'a fait rire.

– Non, mais vraiment, a continué Andrew. Vous ne vous rendez pas compte à quel point vous avez été inspirée en décidant de faire ce gâteau. Les gens qui étaient là ce soir ne l'ont peut-être pas perçu, mais le *gooey butter cake* symbolise la culture analogique au moment précis où elle a viré vers le numérique.

– Ah bon ? Mais pourquoi ?

– Je n'en sais rien. Je ne suis pas toujours très doué pour expliquer ce genre de choses. Mais je les sens. Il aurait fallu demander à Jimmy Webb de vous parler pâtisserie. Il a écrit une chanson à propos d'un gâteau, qui s'intitule *MacArthur Park*.

– Donna Summer, ai-je dit. Je l'adore.

– Oui, a soupiré Andrew. Elle en a fait une reprise disco. Mais c'est Richard Harris qui l'a chantée : personne d'autre ne voulait l'enregistrer. Vous vous en souvenez ? « Quelqu'un a laissé le gâteau sous la pluie... » Il y a un poème de W. H. Auden avec ce vers : « Mon visage ressemble à un gâteau de mariage qu'on a laissé sous la pluie. »

J'ai arrêté de marcher pour me tourner vers lui :

– C'est poignant.

– Je suis bien d'accord. Vous voyez ce qu'il veut dire ?

Je vois très bien. Parce qu'il m'est déjà arrivé d'avoir cette tête-là. Plus d'une fois, même.

Nous avons fait quelques centaines de mètres en silence.

– Et Webb, il va voir sa mère, en prison ? ai-je demandé.

– Non, mais moi, je lui rends visite. Laura ne veut pas que Webb la voie comme ça.

– Et le jour où elle sortira ?

– Webb sera un homme ce jour-là. Ils devront construire leur relation.

– Vous en parlez très... sereinement, ai-je observé.

– Mais j'espère ne pas donner l'impression que ça me laisse indifférent. Mon métier consiste à mettre des choses en place. Je ne sais rien faire d'autre. Mais... euh... j'ai été en thérapie, une fois.

– Ah bon ?

Mon « ah bon ? » était-il accusateur ? Ce n'était pas mon intention. Moi-même, je voyais Nancy une fois par semaine, depuis des années, depuis ma première crise d'angoisse, qui s'était astucieusement déguisée en crise cardiaque.

– Mais quand je dis une fois, c'est une seule et unique séance, a-t-il précisé. Ça ne me convenait pas. Parler à des gens que je ne connais pas, ce n'est pas mon fort.

– Vous vous en sortez très bien, ce soir, pourtant.

– Ça tient certainement plus à vous qu'à moi. Mon thérapeute m'a dit que j'intellectualisais mes émotions au lieu de les éprouver. Qu'il fallait que je travaille là-dessus, que j'apprenne à ressentir. Mais est-ce qu'on a le temps de s'attarder sur ses émotions quand on élève un adolescent ? On est plus dans l'action que dans le ressenti. Vous voyez ce que je veux dire ?

– Tout à fait. Moi aussi, je me surprends parfois à penser : « Qu'est-ce que je ressens, là ? Bah, on verra la semaine prochaine. » Ça s'ajoute à la longue liste des choses à faire.

Et figurez-vous que ma fille ne cesse de me dire que je devrais essayer de rencontrer quelqu'un. Ah oui ? Et quand est-ce que je trouverais le temps ?

D'accord, Coco ne m'avait jamais dit ça. Je venais de l'inventer. Mais dans quel but ? Parce qu'il se faisait tard et que je voulais savoir à quoi m'en tenir avec cet homme.

– Ah bon, vous n'avez personne, alors ? s'est étonné Andrew.

– Eh non !

Je ne compte pas les histoires pitoyables que j'ai eues. Celles qui ne méritent même pas le nom d'histoires. Je ne compte pas Chuck Machin. Ni le sous-chef avec lequel je suis sortie deux ou trois fois pour oublier Chuck Machin. Ni les déjeuners désastreux avec des hommes rencontrés sur Ame-sœur.com. Effectivement, il y avait des dizaines d'histoires, mais toutes plus bancales les unes que les autres. Aucun de ces rendez-vous ne m'avait fait plaisir – et qui plus est, c'était toujours moi qui avais réglé la note du restaurant. Pas une seule de ces histoires n'avait vraiment compté.

– Moi non plus, a avoué Andrew. Vous avez essayé les sites de rencontre ?

– Non ! me suis-je récriée. Enfin, sans vraiment de succès. Tous les types, enfin les quelques types que j'ai rencontrés en ligne, étaient des tarés ou des hommes mariés ou des illuminés ou des survivalistes toujours furieux que le bug de l'an 2000 ne se soit pas produit. Ou alors des hommes qui vivaient encore avec leur mère ou... Et vous ?

– J'ai essayé un site intitulé e-Symphony ou e-Melody, ou quelque chose comme ça.

– Ah, eHarmony ?

– Oui, c'est ça.

207

– Et alors ?

– C'était un vrai boulot ! Il fallait passer des heures à répondre à des dizaines de questions. Après, j'ai essayé un site de petites annonces, Craigslist.

– Non ! me suis-je exclamée. Ce n'est pas sur ce site que...

– Si, si. On m'a envoyé des tas de photos intéressantes et des propositions de massages sensuels.

Il a pouffé de rire.

– Je ne savais pas, moi. Par contre, j'ai trouvé une magnifique chaise Charles Eames, sur Craigslist. Et de jolis luminaires aussi. Je n'ai donc pas complètement perdu mon temps. Pour dire la vérité, la seule femme que je voie régulièrement, c'est ma sœur, Laura. Elle a le droit aux visites, le week-end. Alors j'y vais.

Quel amour d'homme !

– Et c'est... près de chez vous ? ai-je demandé.

– Pas trop loin. À deux heures de route, aller. Après, il faut faire la queue pendant une heure, devant la prison. Et comme Laura et moi restons ensemble plusieurs heures, ça me prend toute la journée. J'essaie d'y aller tous les week-ends, mais il y a des fois où je ne peux pas.

Je me demande si les visiteurs ont le droit d'apporter de la nourriture. Je pourrais concocter un petit panier pique-nique dans lequel je mettrais des tas de bonnes choses et je le lui ferais porter par Andrew. Je gagnerai son amitié comme ça. Elle m'aimerait avant même de me connaître. Attends, écoute ! Il parle encore.

– Webb joue dans une équipe de football qui voyage un peu partout. La seule autre femme que je fréquente est mon avocate, Tamra. Je la vois assez souvent.

Eh bien voilà ! Je me doutais qu'il avait quelqu'un ! Mais

Tamra ? Tamra mes fesses, oui. Supernana, tu veux dire ! Maudits soient les avocats !

– Tamra et moi, nous déjeunons ensemble deux fois par semaine. Je l'aime beaucoup. En plus, elle ressemble à Glen Campbell. Ou peut-être à la sœur de Glen Campbell. Elle va sur ses quatre-vingts ans. Je crois que c'est tout à fait mon type. Est-ce qu'il existe une association pour les gens qui sont accros à Glen Campbell ?

Fausse alerte ! Ouf, Dieu merci ! J'adore les avocats ! Que ferait-on sans les avocats ?

– Je ne sais pas s'il existe un groupe de soutien pour vous, ai-je dit, mais ma fille veut faire des études de psychologie, alors je suis condamnée. Vous pouvez me faire interner tout de suite.

Il a souri.

– Je n'ai aucune idée de ce que mon fils veut faire comme études. Il n'y a pas si longtemps, il m'a annoncé qu'il voulait être un homme des cavernes.

– Un quoi ?

– Ne me demandez pas, a répondu Andrew. Je crois que ça signifie qu'il ne veut pas travailler. Il est très décontracté. J'essaie de penser que c'est bon signe.

– Oui, c'est bon signe.

– Soit. Mais quand il m'annonce qu'il a repéré, à la fac, une matière principale qui prépare à un master de far-niente, je suis légèrement inquiet, vous comprenez ?

Je n'ai pas pu me retenir d'éclater de rire. Il était vraiment chouette. Et drôle. Et franc.

– Ma fille, elle, est plutôt du genre rigide et tendue, ai-je dit.

209

Attends, attends. C'est toi ou Coco que tu décris, là ?

– Je serais curieuse de voir si nos enfants s'entendent.

– Ah oui, moi aussi.

– C'est vrai ?

– Mais oui. J'aimerais bien que mon fils rencontre une jeune femme qui pense sérieusement à son avenir.

Nous avons marché comme ça, tout en bavardant de tout et de rien, jusqu'au moment où nous avons vu un homme livrer du pain à un café.

J'ai regardé ma montre. Il était 5 heures moins 10.

– Il est temps de retourner à l'hôtel, ai-je dit.

Andrew a hélé un taxi. Dix minutes plus tard, en arrivant devant l'hôtel, nous avons trouvé les grooms en train de manger les cookies au pépites de chocolat.

– Je peux vous aider à porter vos bagages, m'a demandé Andrew.

– Non, non. Ça va aller. Il faut vraiment que je me dépêche.

Sur ce, je me suis précipitée vers l'ascenseur en laissant Andrew planté là dans le hall.

Je m'en suis voulue tout le temps que l'ascenseur grimpait jusqu'au sixième et tout le temps que j'ai mis à ranger dans ma valise mes affaires de toilettes et le pyjama que je n'avais même pas déplié. *Tu aurais pu lui donner ta carte au moins ! Tu aurais pu annuler ce vol et en prendre un autre. Pourquoi tu ne l'as pas fait ?*

Parce qu'il fallait que j'aille retrouver Coco, voilà pourquoi. Alors, j'aurais pu au moins le lui dire, pour qu'il comprenne que j'étais intéressée.

J'ai continué à me flageller mentalement, tout en me

précipitant vers l'ascenseur pour redescendre dans le hall. Andrew m'y attendait. Il a porté ma valise jusqu'à la sortie et a fait signe à un taxi pour moi.

– Je peux vous téléphoner ? m'a-t-il demandé pendant que je montais dans le taxi.

– Bien sûr, ai-je dit. Mon numéro à Chicago est le 312...

– Non, je veux dire, à Paris. Il y a un numéro où je peux vous joindre, là-bas ?

J'ai sorti le téléphone de Solange de mon sac à main.

– Heu... je ne connais même pas le numéro de ce truc, ai-je marmonné. Vous n'avez qu'à appeler chez Solange, à Paris.

J'ai griffonné le numéro au dos de ma liste de courses.

– Tenez. Coco et moi reprenons l'avion samedi.

41

Webb

J'ai senti l'infâme odeur de fromage dès qu'on est rentrés dans l'appartement. Je n'avais pas une minute à perdre. J'ai attrapé le sac de Coco pour aller dans la salle de bains.

– Attends ! m'a-t-elle lancé. C'est pas ton sac.

– Je sais, ai-je répondu en me précipitant vers la salle de bains. Mais j'ai laissé un truc dedans et il faut que... que je fasse quelque chose avec.

– Webb ! C'est *mon* sac, pas le tien. Dis-moi ce que tu veux dedans et je te le donnerai.

Elle a essayé de me l'arracher des mains.

J'ai ricané en faisant mine de jouer :

– Hé, hé, hé. Je parle sérieusement. Il faut que je récupère mon...

– Moi aussi je parle sérieusement.

Coco a attrapé une poignée du sac.

– C'est *mon* sac. Donne-le-moi et je te donnerai ton sac à toi.

Oh là là ! Ça ne m'amusait pas du tout, mais je n'avais pas le choix. J'ai tiré d'un coup sec pour lui arracher la poignée des mains. J'étais à deux pas de mon refuge, la salle de bains.

– Non mais dis donc, tu es drôlement gonflé ! a hurlé Coco.

Maintenant, elle essayait de me clouer au mur.

– J'ai mis dedans quelque chose dont j'ai besoin, j'ai dit. J'en ai pour une seconde.

Subitement elle a collé son visage contre le mien, tout en donnant des coups de pied dans le sac.

– Non ! Je ne te permets pas d'emporter mon sac dans la salle de bains ! Non, c'est non !

– Coco, ai-je soupiré en tenant le sac derrière mon dos. Si tu veux vraiment le savoir, c'est un truc vachement gênant que je n'ai pas envie que tu voies.

– C'est-à-dire ?

Elle continuait à vouloir m'arracher le sac. Et tout à coup elle s'est arrêtée net et elle a lâché prise. Elle a souri.

– C'est un... préservatif, c'est ça ?

– Un *quoi* ?

Je ne savais pas comment me sortir de là. *Qu'est-ce que je devais faire ? Rire ? Lui dire que c'était bien un préservatif ? Ce n'était pas une si mauvaise idée.* Je me suis retourné et j'ai jeté le sac dans la salle de bains où je me suis enfermé.

« Hop, hop, on va décoller, s'il vous plaît », j'ai baragouiné derrière la porte, avec un faux accent français.

J'ai sorti en vitesse le fromage puant de la poche latérale du sac et je l'ai jeté dans les toilettes, sans pouvoir éviter l'humiliation du gros *plouf*. J'ai tiré la chasse et refermé le sac.

Quand je suis ressorti, Coco était assise en travers d'un

fauteuil, dans le séjour. Elle avait les bras croisés et les jambes qui pendaient par-dessus un accoudoir. Elle était mignonne tout plein. Et folle de rage.

– Je suis désolé, ai-je dit en posant délicatement le sac à ses pieds.

Silence.

– Coco. Tu serais morte de rire, si tu savais de quoi il s'agissait. Je ferais mieux de te le dire.

– En fait, je n'ai même pas envie de le savoir. Tout ce que je veux savoir, c'est de quelle gare tu pars, pour qu'on regarde comment y aller.

Pas un mot échangé tout le long du trajet en métro. Une fois à la gare, on a couru jusqu'au quai. Les portes de mon train étaient fermées.

– Cogne à la porte, a suggéré Coco. Ils vont peut-être t'ouvrir.

J'ai suivi son conseil. Et comme par miracle, les portes se sont ouvertes.

– Allez, monte ! m'a lancé Coco. Au revoir.

– Salut, ai-je répondu. C'était... marrant, non ?

– Ouais, c'est ça.

J'ai gravi d'un bond le marchepied et jeté mon sac dans le train. À ce moment-là, je me suis rappelé que je n'avais plus un centime en poche. Rien. J'avais tout dépensé pour acheter des heures de connexion Internet. La portière du train s'était refermée derrière moi.

J'ai frappé sur la vitre, du plat de la main et la porte s'est rouverte. Coco était toujours sur le quai.

– Tu... Euh... Tu n'aurais pas quelques euros à me prêter ?

– Quoi ?

Le vacarme de la gare – les haut-parleurs, les carillons, les trains qui arrivaient – était assourdissant.

– C'est que... il ne me reste même pas de quoi acheter de l'eau ou un sandwich. Et j'en ai pour un bout de temps, avant d'arriver à Madrid.

– Oh, a-t-elle fait en fouillant dans ses poches arrière. Elle en a sorti plusieurs billets.

– Tiens. Prends ça.

– Merci ! Je te rembourserai. Un jour.

– Pas de problème. Oh et puis, j'ai oublié de te rendre ta chemise.

La porte se fermait.

– Garde-la ! ai-je crié.

Mais je ne pense pas qu'elle m'ait entendu.

42

Coco

C'est seulement quand le train est parti que je me suis rendu compte que j'aurais dû proposer à Webb qu'on partage le prix du voyage. Ça, plus le fait que j'aie gardé sa chemise, il avait sûrement pensé que je n'étais qu'une sale petite égoïste.

Zut.

Le problème, c'est que dès que je m'étais aperçue qu'il avait vu mes culottes hideuses (que j'aurais mieux fait de jeter *avant* de partir de Chicago) et le soutif rose rembourré (que je n'aurais jamais dû acheter, d'ailleurs, mais puisque c'était fait... J'aurais quand même pu voir à quel point c'était immonde et les jeter immédiatement ou en tout cas quand la mousse avait commencé à cloquer), j'étais cuite. Ensuite, à partir du moment où il avait insisté pour les regarder de plus près – dans la salle de bains, en plus – je ne pouvais plus arrêter de faire la gueule.

Maman et ses idées complètement débiles ! « Emmène tes vieux sous-vêtements. » *Bravo, maman, génial.*

Mais si ça se trouve, il était parfaitement sincère. Il voulait *vraiment* se débarrasser de ses préservatifs, les bazarder avant de partir. De peur que son père les trouve, peut-être.

Dans ce cas, pourquoi trouvait-il ça tellement drôle ? Faire l'amour tantrique avec moi lui paraissait donc si inenvisageable que ça le faisait marrer ? C'était risible à ce point-là, la grosse blague, quoi ?

De toute façon, même s'il n'avait pas vu mes culottes et mes soutiens-gorge, il n'aurait pas voulu coucher avec moi. Ça m'apprendra à minauder et à jouer les vierges effarouchées. Pourquoi j'avais fait ça ? Pourquoi j'avais dit *beurk* quand il avait parlé de préservatifs ? Et pourquoi j'avais ri quand il s'était mis à chanter ? Je m'étais même moquée de son homonyme, Jimmy Webb. Je l'avais certainement vexé.

J'ai pris le métro pour rentrer et je me suis pelotonnée sous le futon avec mon appareil photo. J'ai passé en revue toutes les photos qu'on avait prises au cybercafé. Sur tous les clichés, il était trop mignon, avec son grand sourire et ses cheveux en bataille. Moi, à côté, j'avais l'air d'une fille qui porte des culottes de grand-mère et des soutifs rembourrés, alors que c'est faux. Plus maintenant, en tout cas.

Je me suis blottie sous les couvertures en souhaitant mourir.

Tout à coup, me souvenant que j'avais rangé les préservatifs dans l'armoire à pharmacie de Solange, je me suis relevée pour les cacher au fond de mon sac de voyage. Une fois à Chicago, je n'aurai qu'à les mettre dans le vestiaire de quelqu'un, au lycée.

43

Andrew

Quand je me suis enfin couché, le réveil à affichage digital posé entre le lit de Webb et le mien indiquait 6 : 52. J'avais besoin de dormir, mais je ne pensais qu'à une chose : quand devais-je téléphoner à Daisy ?

J'étais sûr, après ces quelques heures passées avec elle, que l'histoire de mon petit mot – de *notre* petit mot – l'amuserait beaucoup, pour peu que je trouve la bonne façon de raconter l'anecdote. Je pouvais le faire. Et j'allais le faire.

Si elle m'avait considéré comme un goujat de première, elle n'aurait pas passé toutes ces heures avec moi, dans l'état de fatigue où nous étions tous les deux.

Pour elle comme pour moi, il fallait que je lui fasse cet aveu. Il n'y a pas de place pour les secrets entre deux personnes qui veulent construire une relation. Et c'était bien mon intention. Si ce n'était pas le destin, ça !

De nouveau, j'ai jeté un coup d'œil au réveil : 6 : 55. La relativité du temps ; c'est bien de cela qu'il était question dans la théorie d'Einstein.

Je ne pouvais pas l'appeler avant 8 heures du soir. Mais

218

à cette heure-là, sa fille et elle seraient peut-être en train de dîner. Il fallait donc que je téléphone avant ou après.

J'ai décidé de le faire dans l'après-midi, pour m'assurer qu'elle était bien arrivée. Mais ça ferait peut-être un peu trop empressé. Les femmes détestent les hommes trop protecteurs et qui peut les en blâmer ?

D'un autre côté, elle allait être fatiguée en arrivant à Paris ; elle aurait sûrement envie de faire une sieste. Il fallait donc que j'appelle avant la sieste. Ou après ?

J'ai regardé l'heure : 6 : 57.

Je me suis levé, vaguement habillé et je suis descendu prendre un café.

44

Daisy

J'étais dans le taxi qui filait vers l'aéroport. J'allais prendre un avion pour retourner à Paris, après avoir passé toute la nuit avec un homme beau, gentil et intelligent. J'avais l'impression de jouer dans une comédie sentimentale bien américaine.

J'ai sorti un poudrier pour voir la tête que j'avais ; je m'attendais à voir une vieille sorcière toute ridée.

Mais non. L'image que me renvoyait le miroir, c'était moi en plus jeune et plus jolie. J'ai souri malgré moi à ce visage qui me regardait.

Tandis que le taxi se garait devant la zone des départs, je me suis mis du rouge à lèvres et j'ai relevé mes cheveux en un chignon haut – ma coiffure « femme de ménage », comme l'appelait Coco.

– Merci*, euh... *gracias*, ai-je dit au chauffeur en lui donnant quarante euros.

– *De nada, guapa*, a-t-il répondu avec un clin d'œil, en posant ma valise au bord du trottoir.

– D'accord, d'accord, ai-je dit.

Passé le point de contrôle des passeports, j'ai rejoint

ma porte d'embarquement. Les passagers commençaient à embarquer, je savais donc que je n'aurais pas le temps de prendre un café. J'ai louché jalousement sur la tasse de café noir fumante qu'un homme tenait à la main. Il devait être américain ou anglais. Il a remarqué mon regard envieux.

– C'est exactement ce dont j'ai besoin, ai-je avoué avec un sourire.

– Tenez, prenez-le, a-t-il répliqué. Je n'y ai pas touché.

– Ah mais non, voyons, vous plaisantez ! ai-je lancé en riant.

– Vous êtes sûre ?

– Absolument. J'en prendrai un dans l'avion.

Il a souri et, à moins que je n'aie eu la berlue, m'a discrètement regardée de la tête au pied.

Que se passe-t-il ? D'abord le chauffeur de taxi et maintenant ce monsieur ? Est-ce que j'avais ce rayonnement particulier de celle qui a passé toute la nuit dans les bras d'un homme ? Peut-être, après tout. Pourtant je n'avais pas couché avec lui, bon sang ! Je ne pouvais pas avoir cet air lumineux d'après l'amour. Alors pourquoi tout cet intérêt pour moi ?

Quelques minutes après le décollage, le personnel de bord a commencé à nous distribuer du café tiède et des croissants caoutchouteux. Si je n'avais pas été affamée et en manque de caféine, je n'y aurais pas touché. Mais là j'ai bu et mangé avec plaisir, jusqu'à ce qu'un trou d'air me fasse renverser du café sur mon pantalon.

– Zut ! ai-je grommelé.

Un homme assis de l'autre côté de l'allée m'a tendu sa serviette, avec un grand sourire.

Et ça continue ! Incroyable. Les hommes ne me regardaient plus depuis un certain temps. À part peut-être des types louches qui glissaient des messages dans mon sac à main. Il fallait peut-être que j'envisage de passer plus souvent des nuits blanches.

J'ai feuilleté distraitement le magazine de la compagnie mais je n'avais plus assez d'énergie pour me concentrer. Alors j'ai fermé les yeux et j'ai pensé à Andrew.

Il était vraiment bien, cet homme. Et pas seulement dans mon imagination. Il était gentil, intelligent. C'était un artiste. Et il était honnête. Et l'histoire de sa sœur, mon Dieu ! Quelle générosité de sa part d'avoir adopté son bébé !

Je me suis assoupie, me laissant aller, comme dans un rêve, à penser à Andrew et à son fils.

À l'arrivée, je suis allée tout droit vers la sortie et la file d'attente des taxis.

– Montmartre, ai-je annoncé en montant dans la première voiture libre.

Une demi-heure plus tard, je passais la porte de l'appartement de Solange. Ma pauvre Coco était blottie sur son futon, exactement là où je l'avais laissée. Pelotonnée dans sa couverture, on aurait dit une ballerine dans le final du *Lac des cygnes*.

– Ma petite fille chérie, ai-je dit en l'embrassant pour la réveiller. Tu vas mieux ?

– Non, a-t-elle grommelé en reniflant. Je vais beaucoup plus mal.

J'ai posé la main sur son front. Elle n'était pas fiévreuse, pourtant. Je l'ai de nouveau embrassée. Il y avait un goût de sel sur ses joues.

– Veux-tu que je fasse des toasts ? Ou du thé ?

– Non.

Elle a soupiré en se couvrant les yeux.

– Il faut que j'aille prendre une douche.

Elle est sortie en rampant de sous les couvertures. Elle avait son pyjama préféré, en flanelle.

– Ah, ton pyjama ! me suis-je exclamée. Ton sac est enfin arrivé ?

– Quoi ? Coco a baissé la tête pour se regarder.

– Ah, oui. Heu... Quelqu'un est venu le livrer, hier.

– Formidable, ma chérie. Je suis sûre que c'est le stress de ne pas avoir tes affaires qui t'a rendue malade.

Coco s'est retournée pour me jeter un regard glacial.

– Non, c'est *pas* à cause de ça. Alors, on laisse tomber, d'accord ?

Allons bon. Ça recommence.

– Et en plus, ça veut sûrement dire que je peux toujours courir pour toucher les cinq cents dollars, a-t-elle ajouté en se traînant jusqu'à la salle de bains.

Au moment où elle claquait la porte derrière elle, le téléphone a sonné.

– Je suis sûre qu'on pourra quand même récupérer cet argent, lui ai-je crié.

Puis, sans réfléchir, j'ai décroché.

– Allô ?

– Bonjour, c'est Andrew. Je ne vous dérange pas ? J'appelais juste pour savoir si vous étiez bien rentrée.

45

Webb

– Mais enfin... où étais-tu ? a grondé papa quand je suis rentré à l'hôtel, le soir, à 20 h 30.

– J'ai dû... Euh, je suis allé chercher mon sac, ai-je répondu.

Il a regardé le sac de voyage noir que j'avais à la main.

– Ah, c'est le tien, ça ?

– Ouais, ai-je confirmé en m'asseyant sur le lit. C'est pas trop tôt, hein ?

J'avais faim, j'avais soif, j'étais lessivé après ce long trajet en train. Et un peu déprimé, en plus, à cause de ma contre-performance avec Coco. Papa, lui, avait l'air plein d'énergie. J'espérais que ce n'était pas la colère accumulée contre moi.

– Alors, qu'est-ce que tu en as pensé ? m'a-t-il demandé.

– De... ?

– De l'expo. Hier soir.

– Ah oui ! Oui, oui, oui, oui, ai-je répondu. C'était... cool. Ouais, super, même.

– Je suis content que tu aies aimé, a dit papa en souriant.

Il avait vraiment l'air de très bonne humeur.

– Je me disais bien que tous ces trucs numériques, ça ne pouvait que te plaire.

– Mmm, mmm.

Je me sentais complètement crétin d'avoir manqué le grand soir de mon père.

– J'aimerais bien y retourner. Demain, peut-être ?

– D'accord. On devrait aller aussi au Prado. Je sais qu'on l'a déjà visité la dernière fois qu'on est venus ici, mais il mérite bien une deuxième visite.

– Ça marche.

– En plus, je n'ai pas encore eu mon content de tapas, a poursuivi papa. Et toi ?

– Non, je meurs de faim.

– Eh bien, allons dîner, a-t-il proposé en m'ébouriffant les cheveux. Et puis, bravo pour la récupération de ton sac, Webb. J'avais bien peur qu'on ne le revoie plus jamais.

– Ouais, moi aussi.

On a pris une toute petite rue qui s'appelait Cava Baja et on a mangé ces hors-d'œuvre que les Espagnols servent dans des petites assiettes. Papa adorait le calamar. Moi, c'était la tortilla *española*, une omelette aux pommes de terre froide. Dit comme ça, ça paraît pire que le calamar, mais c'est vachement bon. Papa a commandé de la bière pour nous deux.

– J'aimerais bien que les Américains aient le même rapport à l'alcool que les Européens, a-t-il déclaré. Ici, les enfants commencent à boire dans leur famille. Pas beaucoup, juste un peu. Ce qui fait que quand ils vont à la fac, l'alcool ne prend pas une place aussi importante que chez nous.

– Mmm, mmm, ai-je dit en faisant un effort pour boire ma bière.

Ça avait un goût de vieilles chaussettes qui me rappelait le fromage puant.

– On entend de ces histoires à propos du *binge drinking* sur les campus universitaires ! a repris papa en secouant la tête. Et les comas éthyliques. La modération, si barbant que ça puisse paraître, Webb, ça peut te sauver la vie.

– Ouais, ai-je approuvé en me souvenant avec horreur du bruit du fromage tombant dans la cuvette des W.-C.

Je comprends pourquoi, quand je suis ressorti de la salle de bains, Coco avait la tête de quelqu'un qui va se suicider. Ou qui va commettre un crime, peut-être. En tout cas elle avait envie de tuer quelqu'un. Et j'aurais juré que ce quelqu'un, c'était moi.

Sur le chemin du retour vers l'hôtel, papa m'a pris par l'épaule.

– Je suis prêt à parier que tu ferais bien un dernier petit tour au centre d'affaires, avant de partir.

– Ça va, ça va, ai-je dit.

– Si, si, vas-y, m'a-t-il encouragé, tout gentil et goguenard. J'ai un coup de téléphone à passer, de toute façon. Un coup de fil personnel. On se retrouve là-haut.

Une fois installé dans la salle multimédia, je me suis connecté. Je n'avais pas de message, alors j'ai commencé à en écrire un.

De : Webbn@com
À : CocoChi@com
Objet : Des inconnus sur un quai de gare
– Rapport d'action

Hello, Esmeralda. Je voulais juste te remercier de m'avoir permis de venir.

J'espère que je n'ai pas causé de dommages irréversibles à ton psychisme, avec mes chansons.

Une seule doléance : tu ne m'avais pas dit à quel point tu es jolie. C'était une agréable surprise. Merci de m'avoir dépanné de 20 euros pour le voyage. Je te rembourserai, avec intérêts, quand on...

Je me suis arrêté. Quand on *quoi* ? Se reverra ? Elle ne voudra jamais me revoir. Quand on sera rentrés ? Elle ne voudra peut-être même pas me donner son adresse postale. Je me souvenais du regard qu'elle m'avait lancé quand elle essayait de m'arracher le sac. Quand on...

Rien.

J'ai effacé le message sans l'envoyer et je suis monté me coucher.

46

Coco

C'est maman qui a eu l'idée d'aller passer l'après-midi au Louvre. Je ne pouvais qu'applaudir à cette initiative : au moins, tant qu'on resterait là à contempler des tableaux, on n'aurait pas à se parler. J'étais d'une humeur de chien. Un de ces moments où je prenais systématiquement pour des critiques tout ce qu'elle me disait ; résultat, je lui parlais mal, etc., etc., le cercle vicieux.

Regardons les choses en face. J'emporte mes vieux sous-vêtements usés, comme ça le premier mec que je rencontre et qui a une toute petite chance de me faire craquer va voir mes dessous les plus pourris : ça c'était l'idée géniale de ma mère. Peut-être qu'elle n'avait pas l'*intention* de foutre ma vie en l'air. Mais la question n'était pas là. Le fait est qu'elle l'*a* vraiment foutue en l'air, même sans le vouloir. Et pour être tout à fait honnête, je dois avouer que je la soupçonnais plus ou moins d'avoir fait ça justement pour gâcher ma vie et m'empêcher de sortir avec un garçon. Ce n'était pas parce qu'elle détestait les hommes, à cause d'un type qui ne mettait pas de capotes et qui l'avait foutue en cloque à Paris, que *moi* je n'aurais jamais envie d'avoir une vie sexuelle. Si je continuais à ruminer ça, j'allais lui voler dans les plumes, et ça, ce ne serait bon ni pour elle ni pour moi.

Donc, son idée d'aller au Louvre m'arrangeait bien. Je pensais aussi que voir de la belle peinture m'empêcherait peut-être de ressasser ma désastreuse rencontre avec Webb.

En fait, ça a été tout l'inverse.

De retour chez Solange, j'ai dit à maman que j'allais voir mes e-mails, pendant qu'elle préparait le dîner. Évidemment, je n'avais pas de message de Webb (pourquoi m'aurait-il écrit ?). Mais moi, je voulais lui dire quelque chose.

> De : CocoChi@com
> À : Webbn@com
>
> Objet : Comment la vie imite l'art et vice versa
> Salut Webb. Si je suis fatiguée, toi, tu dois être anéanti. J'espère que tu ne t'es pas endormi dans le train et réveillé en Italie. J'espère aussi que tu me pardonneras de ne pas t'avoir proposé plus d'argent. J'aurais dû payer la moitié de tes billets de train, c'est clair. Je sais qu'ils ont coûté cher, et c'était tellement super que tu fasses le voyage pour voir la pauvre fille que je suis. ☺

Non, non, non c'est nul ! J'ai effacé la dernière phrase et commencé un nouveau paragraphe.

> Ma mère et moi on a passé l'après-midi au Louvre. Je n'avais pourtant pas les yeux en face des trous, tellement j'étais crevée, mais maman a insisté. Finalement

j'étais contente d'y aller, parce que j'ai vu un tableau qui traduit exactement ce que j'ai ressenti pendant tout le temps qu'on a passé ensemble (on, c'est-à-dire toi et moi). C'est une peinture de Jean-Antoine Watteau qui s'intitule *Pierrot*. Elle représente un type en costume de clown blanc ridicule. À moins que ce ne soit un déguisement de lapin. Mais peu importe. Sa tenue est rendue encore plus grotesque par ses espèces de chaussons noués par des rubans. Le type a l'air de quelqu'un qui a souri quelques instants plus tôt, mais dont le sourire vient juste de s'effacer. Il est là, les bras ballants, carrément niais et conscient de l'être. On dirait un acteur qui se rend compte qu'il ne sait plus son texte. Ou quelqu'un qui arrive déguisé dans une soirée qu'il croyait à tort costumée. Et maintenant, tout ce qu'il peut faire c'est rester là comme un imbécile déguisé en lapin.

Tu vois, je crois que ce tableau m'a interpellée, parce que c'est exactement ce que j'ai ressenti avec toi : l'impression d'être un clown ridicule. Absolument incapable d'aligner deux mots. Moi, mais en pire, quoi. Et en plus râleuse. Tu comprends, ou ça n'a ni queue ni tête ?

J'ai relu le message. En effet, ça n'avait ni queue ni tête. Je l'ai effacé sans l'envoyer et je suis remontée à l'appartement.

47

Andrew

Je n'ai pas pu m'empêcher de rappeler Daisy ce soir-là, en revenant de dîner.

J'ai commencé comme ceci :

– Je suis bien conscient de transgresser toutes les lois de la séduction connues à ce jour en vous téléphonant pour la deuxième fois aujourd'hui, mais il fallait que je vous lise cet article sur l'exposition, paru dans *El Pais.*

– Je suis très curieuse d'entendre ça, a-t-elle répondu. Il y avait plein de bruits de fond.

– Je vous dérange, peut-être ?

– Non, non. Je suis en train de préparer le dîner, c'est tout.

– Je peux vous rappeler plus tard.

– Non, il n'y a aucun problème, je peux cuisiner et parler en même temps. Lisez-moi cet article, s'il vous plaît.

– Bon, ai-je fait, en m'éclaircissant la voix un peu théâtralement. *L'Amour à l'ère postnumérique* a ouvert ses portes hier soir au Palais de Cristal, dans le parc du Retiro...

– Attendez, m'a-t-elle interrompu. Pourquoi est-ce écrit en anglais alors qu'il s'agit d'un journal espagnol ?

– Je l'ai fait traduire par quelqu'un de l'hôtel. Je continue ?

– Allez-y.

Je me suis de nouveau raclé la gorge.

– L'exposition s'attache à montrer comment la technologie moderne a changé l'art de la séduction, grâce à une série d'œuvres d'art interactives intégrant des gadgets de la fin du vingtième et du début du vingt-et-unième siècle. Adieu les lettres d'amour écrites à la plume sur du parchemin. Place aux textos, e-mails et autres sérénades mobiles. En tout plus d'une centaine d'écrans d'ordinateurs – dont certains ont forme humaine – se combinent pour démontrer comment la technologie refaçonne le concept d'amour. Un des clous de l'expo est *La Ronde des portables*, une pièce interactive créée par l'artiste/amateur de jeux vidéo canadien Tad Nordent qui invite les visiteurs à « jouer » avec son œuvre, comme les amants d'aujourd'hui jouent dans le champ du rendez-vous amoureux. Citons aussi le *PorNOgraphy* de Juan Tomàs Alvarez, juxtaposant des images de la compagne de l'artiste avec des photos pornos d'inconnues qui essaient, par un jeu d'effets numériques, d'effacer l'image de la bien-aimée.

Soudain, j'ai entendu un bruit assourdissant à l'autre bout du fil.

– Vous êtes toujours là ? ai-je demandé.

– Excusez-moi, a lancé Daisy, j'ai fait tomber une casserole. Mais je suis bien contente qu'on m'explique enfin ce truc sur la pornographie. Je n'avais pas compris. Allez-y, continuez.

– D'accord, je vais juste sauter quelques lignes, notamment celles où il est question de « la remarquable conception de l'exposition ».

– Ah mais, au contraire, je veux entendre ça, a insisté Daisy.

– Non, non. Voilà ce que je voulais que vous entendiez : « Pour souligner le thème de l'amour transfiguré dans notre monde postmoderne, des cookies chauds et des tartes au beurre étaient servis aux invités qui n'ont pu s'empêcher de ressentir... »

– Vous inventez là, a-t-elle gloussé.

– Pas du tout. Écoutez : « ... de ressentir une certaine nostalgie pour une époque plus simple, où les gens avaient le temps de faire de la pâtisserie et où une histoire d'amour pouvait modestement commencer par une feuille de papier, un crayon et un timbre. Un *quoi* ? »

– Ils ont vraiment écrit ça ?

– Je ne mens jamais sur les articles, lui ai-je assuré. Et autre chose : vous vous souvenez des manifestants que nous avons vus en sortant du parc ?

– Oui. C'était contre quoi ?

– C'est expliqué ici, dans un encadré : « Cinco por Cinco un groupe d'extrémistes amish, bien visible quoique peu nombreux... »

– Des extrémistes amish ? Ce n'est pas un peu contradictoire ?

– Pas sûr, ai-je répondu. On a plein d'amish dans le Missouri. Ils sont plutôt extrêmes. Pas d'électricité. Pas d'assurance. Pas de mariage ni d'autres relations en dehors de leur communauté.

– On ne mélange pas les torchons et les serviettes. Continuez.

– « Cinco por Cinco, un groupe d'extrémistes amish, bien visibles quoique peu nombreux, avait juré de manifester devant le parc du Retiro pendant l'exposition. Les membres de Cinco por Cinco croient qu'Internet est le jouet de Satan et qu'il représente la seule grande menace contre l'amour loyal. L'objectif avoué de ce groupe est de débarrasser le monde de la communication électronique, à commencer par Internet, et de revenir à une ère prénumérique où tout était plus simple, où l'on utilisait ses mains pour coudre, tricoter, cuisiner, travailler la terre et prier. Les manifestants ont menacé de recourir à des moyens technologiques de base pour arriver à leurs fins. En attendant, les membres du groupe ont fait vœu de jeûner en ne mangeant que des flocons d'avoine crus à l'eau. »

– Oh, c'est pas possible, a soupiré Daisy. Ils sont dingues. C'est une secte, non ? Avec des tas de gens incapables de réfléchir par eux-mêmes et...

Elle s'est interrompue. J'ai compris qu'elle se souvenait de l'histoire de ma sœur.

– Enfin bref, ai-je repris. Je me suis dit que ça vous intéresserait d'entendre ça.

– Oui, merci beaucoup. Et comment allez-vous ?

– Très bien. Vous avez pu dormir un peu, aujourd'hui ?

– J'ai somnolé dans l'avion, a-t-elle répondu. Mais ma fille était dans un de ses mauvais jours. Nous avons passé l'après-midi au Louvre. Comme ça, au moins, nous n'avons pas eu besoin de nous parler.

Elle a ri.

– Vous voyez un peu quelle mère indigne je suis ?

– Eh figurez-vous que moi, j'ai obligé mon fils à boire une bière au dîner, hier soir. En plus, c'était la plus mauvaise bière que j'aie jamais bue de ma vie. Elle avait le goût de vieilles chaussettes.

Elle a ri encore plus fort. Je ne savais pas ce qu'elle faisait cuire, mais j'entendais quelque chose rissoler dans la poêle. J'aurais donné cher pour être avec elle. En face d'elle.

– On devrait attribuer des prix aux parents dans notre genre, a-t-elle dit. Non mais, sérieusement. Laisser son enfant malade seul dans un pays étranger ? Une mère grizzli ne ferait jamais ça.

– Et moi, j'ai perdu la trace de mon fils presque toute la journée d'hier, ai-je confessé. Je n'avais pas la moindre idée de l'endroit où il se trouvait. Pendant quatre heures.

– Vous vous rendez compte que ce sont nos enfants qui décideront dans quelle maison de retraite nous irons ? Ce seront eux nos auxiliaires de vie. Nos tuteurs. C'est terrifiant, non ?

– Vous l'avez dit ! Ça vous ennuierait si je vous rappelais demain ? ai-je demandé.

– Ça m'ennuierait énormément, a-t-elle répondu.

– Mmm. Je crois que je vais prendre le risque.

– Vous avez intérêt.

– Vous avez bien fait de me donner votre numéro de téléphone.

Je disais n'importe quoi pour la garder au bout du fil. Cela faisait des années que je n'avais pas ressenti ça. J'avais envie d'entendre sa voix pour être sûr qu'elle était bien réelle.

– Je suis contente que vous me l'ayez demandé, a-t-elle dit doucement.

Puis sa voix est montée d'un ton :

– Oh, attendez, il faut que je vous raconte quelque chose de drôle ! À propos de ce passage de votre article, où ils disent qu'une histoire d'amour peut commencer modestement par un papier et un stylo. Écoutez bien. Dans l'avion Chicago-Paris, il y a un pauvre type qui m'a écrit un mot, le genre admirateur secret, et qui l'a glissé dans mon sac à main, pendant que j'avais le dos tourné. Qu'est-ce que vous dites de ça ? Et le plus fort, c'est que ce type voyageait avec sa femme ou sa fille.

48

Daisy

J'avais été trop réprobatrice. Je l'ai tout de suite remarqué au ton d'Andrew.

– Comment savez-vous qu'il était marié ? m'a-t-il demandé. Ou qu'il avait une petite amie ?

– Je ne sais plus, ai-je affirmé immédiatement, regrettant de lui avoir raconté cela. Je crois que c'est parce qu'il avait précisé dans son mot qu'il ne voyageait pas seul.

– Ça pouvait vouloir dire un tas de choses, a aussitôt répliqué Andrew.

Pourquoi défendait-il ce type ? Pour me faire remarquer que j'avais la critique facile ? Il ne me connaissait pas encore assez bien pour mettre le doigt sur mes défauts.

Respirez, m'aurait dit Nancy. Arrêtez de penser comme ça. N'en faites pas une affaire personnelle. Vous êtes en colère contre lui ? Non. Contre vos parents ? Non. Alors à qui en voulez-vous ? À personne !

Respirez.

Le portable de Solange a sonné.

– Oh, il faut que je vous laisse, ai-je dit. On se rappelle plus tard ?

– Bien sûr. Au revoir.

Il a fallu que je renverse mon sac à main pour trouver le téléphone portable de Solange.

– Allô ? ai-je dit à la cinquième sonnerie.

– Bonjour, toi, a répondu Solange. Je ne te réveille pas ?

– Non. Et si tu veux le savoir, je n'ai pas dormi depuis qu'on s'est quittées.

Solange a insisté pour que je lui raconte minute par minute ma soirée et ma matinée avec Andrew.

– Magnifique, a-t-elle commenté quand j'ai eu fini. Tu veux savoir quelle réputation a Andrew dans le petit monde des conservateurs de musées d'Europe ?

– Oh mon Dieu, ai-je gémi. C'est si terrible que ça ?

– C'est l'homme le plus charmant de la terre, a commencé Solange. Il y a plusieurs années, la première fois que j'ai envisagé de le prendre comme designer pour une expo, j'ai vérifié ses références. Je n'ai pas trouvé un seul commentaire mitigé à son propos. Tout le monde adore Andrew, des administratifs aux directeurs exécutifs en passant par les gardiens. Il fait un excellent boulot et il n'a pas d'ego. Une perle, je te dis.

J'ai souri intérieurement. *J'avais raison. C'était un type bien.*

– Pourquoi il n'est pas marié, alors ? ai-je demandé.

– Je pourrais te retourner la question, a répondu Solange. Peut-être parce que vous êtes tous les deux des bourreaux de travail. Ou des parents isolés. Ou parce que tu as perdu ton temps avec cet idiot de... comment s'appelait-il déjà ? Dick ?

– Chuck. Mais peu importe. Est-ce qu'Andrew a l'habitude de draguer comme ça, à chaque expo ?

– Ça n'a pas eu l'air de te déplaire, en tout cas. Mais je n'appelais pas pour te parler de toi. Ni d'Andrew. Je venais prendre des nouvelles de Coco. Elle va mieux ?

– Oui et non, ai-je dit. Physiquement ça va mieux. Je crois que c'était le décalage horaire. Mais elle est d'une humeur massacrante. Il y a sûrement quelque chose qui cloche à Chicago. Elle est encore partie au cybercafé, là.

– Qu'elle utilise mon téléphone portable ! a proposé Solange. Elle a accès à Internet, avec. Elle pourra envoyer des e-mails à ses copines de l'appartement.

– Tu es sûre ?

– Mais oui. Et après, tu n'as qu'à emporter ce portable avec toi à Chicago. Il te servira lors de ton prochain séjour. Les téléphones ne coûtent pas cher, en Europe, ce n'est pas comme aux États-Unis. Ici, on achète des téléphones bon marché et on utilise des cartes prépayées.

Solange parlait encore au moment où Coco franchissait la porte de l'appartement.

– Tiens, ai-je dit à ma fille en lui tendant le portable. Quelqu'un veut te dire bonjour.

J'ai observé Coco pendant qu'elle téléphonait. Elle avait les yeux cernés. Elle paraissait plus triste. Plus vieille. Quelque chose la tourmentait, c'était certain, mais je n'osais pas la questionner, de peur qu'elle ne s'effondre de nouveau.

J'ai profité qu'elle bavardait avec Solange pour allumer des bougies dans le séjour et mettre la dernière main à notre dîner : crêpes à la ratatouille, épinards sautés, roquette et une demi-baguette.

– Tu veux un petit verre de vin, en mangeant ? ai-je proposé à Coco après qu'elle a eu raccroché. Solange nous a laissé une bouteille au frigo.

– Maman, tu sais très bien que je ne bois pas.

– Je sais et j'en suis ravie. Mais comme à la rentrée tu vas aller à la fac où tous les étudiants ont la réputation de boire, je pensais que tu aurais envie de goûter un peu de...

– Je viens de te dire que je n'en voulais pas, a-t-elle grogné.

Sa suffisance moralisatrice sonnait comme une gifle.

– Très bien, comme tu voudras.

Je me suis versé un verre de vin, j'ai mangé et j'ai pensé à Andrew.

Il a appelé pour la troisième fois, peu avant minuit. J'ai emporté le téléphone avec moi dans la chambre.

– Je sais que c'est tout à fait incorrect de téléphoner aussi tard, a-t-il dit. Mais j'ai quelque chose à vous dire, et vous allez penser que je suis un parfait imbécile, quand vous allez l'entendre.

Oh non, ça y est. Il est marié. Ou il a quelqu'un. Ou il est homo. Ou il a de l'herpès.

J'ai fermé la porte de la chambre.

– Je vous écoute, ai-je lancé, m'attendant au pire.

Je me sentais déjà oppressée. Une colère qui m'était familière commençait à sourdre en moi.

– Vous vous souvenez de notre conversation de tout à l'heure ? a-t-il demandé.

– Mmm, mmm.

J'ai porté ma main libre à mon cœur pour lui rappeler qu'il devait continuer de battre.

240

Andrew a marqué un temps d'arrêt. Je l'entendais respirer avec difficulté.

– Sur l'amour et les mots doux écrits à la main, etc., et... De nouveau il s'est tu.

– Oui ? ai-je dit sèchement.

Je détestais le ton que j'avais pris, mais j'avais tellement peur de ce qu'il allait m'annoncer que je prenais déjà mes distances. J'étais une championne de la dérobade. Experte pour fuir les gens, les emplois, toutes sortes de situations. Mentalement, je le quittais déjà.

– Eh bien, heu... je voulais vous expliquer... Euh...

Il cherchait ses mots.

– Écoutez, ai-je dit en faisant mine de sourire, pour ne pas qu'il sente à quel point j'étais en colère. Rien ne nous oblige à en passer par là. J'ai été ravie de vous rencontrer et de passer une soirée avec vous, mais nous ne sommes pas tenus d'aller plus loin.

Je me suis fabriqué un rire insouciant.

– Vous n'avez pas à *rompre* avec moi, nous n'avons jamais été ensemble.

– Non, a-t-il lancé. Attendez. Stop. Je suis affreusement nul pour ce genre de choses.

– Alors, dites-moi simplement ce que vous avez à me dire, ai-je rétorqué. Allez-y. La première chose qui vous passe par la tête, comme disent les thérapeutes.

– Bon, d'accord, a-t-il dit doucement. Eh bien c'est vous. Ce qui me passe par la tête, ce qui m'occupe la tête, c'est vous. Voilà ce que je voulais vous dire.

– *Sérieusement ?*

J'ai senti tout mon corps se relâcher.

– Oui, a-t-il confirmé. Et en plus, je voudrais vous dire que... vous êtes si douce à mon souvenir. Attendez... Ça ne fait pas un peu trop cucul de dire ça ?

– Mais non.

Je ne pouvais m'empêcher de sourire, et pour de vrai, cette fois. Les muscles de mon thorax s'étaient détendus.

– Vous devez payer des droits à Jimmy Webb, chaque fois que vous utilisez une strophe de ses chansons, non ?

C'est lui qui a éclaté de rire, cette fois.

– *Si douce à mon souvenir*[1], c'était une chanson de John Hartford. Et il est mort.

– Oh, dommage.

– Il était de Saint Louis. Il a son étoile incrustée dans l'allée des Stars. Je vous la montrerai si vous venez.

– Je viendrai peut-être un jour.

– J'espère bien, a dit Andrew. Bonne nuit, Daisy.

– Bonne nuit, Andrew.

---

1. *Gentle on my Mind*, chanson reprise par Claude François en 1969 sous le titre *Si douce à mon souvenir* (NDT).

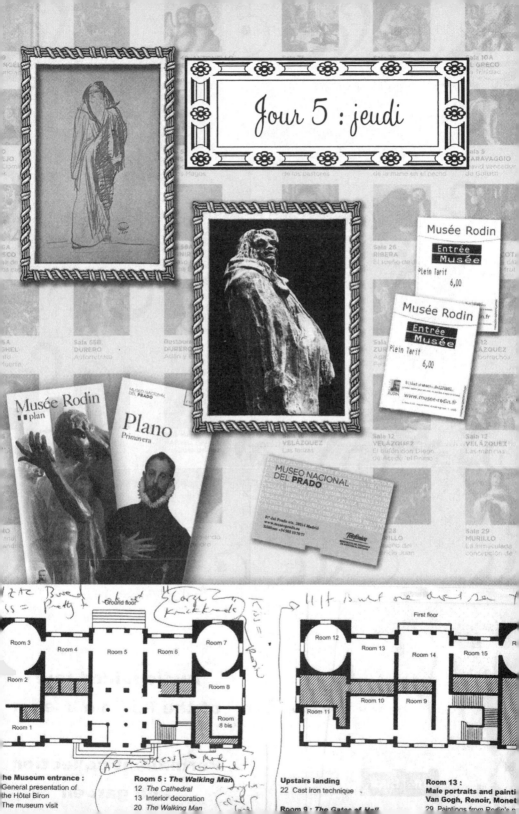

Jour 5 : jeudi

Musée Rodin
Entrée Musée
Plein Tarif
6,00

Musée Rodin
Entrée Musée
Plein Tarif
6,00

www.musee-rodin.fr

Musée Rodin
■ plan

MUSEO NACIONAL
DEL **PRADO**
Plano
Primavera

MUSEO NACIONAL
DEL **PRADO**

Pº del Prado s/n, 28014 Madrid
www.museoprado.es
Teléfono +34 902 10 70 77

Ground floor

First floor

Room 3	Room 4	Room 5	Room 6	Room 7
Room 2				Room 8
Room 1				Room 8 bis

Room 12	Room 13	Room 14	Room 15
	Room 10	Room 9	
Room 11			

The Museum entrance :
General presentation of
the Hôtel Biron
The museum visit

Room 5 : The Walking Man
12 The Cathedral
13 Interior decoration
20 The Walking Man

Upstairs landing
22 Cast iron technique

Room 9 : The Gates of Hell

Room 13 :
Male portraits and painti...
Van Gogh, Renoir, Monet
29 Paintings from Rodin's ...

49

Webb

Je me suis réveillé à midi. J'imaginais que papa allait être furieux, mais non.

– Salut, mon grand, il m'a lancé quand je l'ai trouvé en bas, au restaurant de l'hôtel.

Il prenait un café en lisant l'*International Herald Tribune*.

– Bien dormi ?

– Ouais, ai-je répondu.

– Parfait.

Il a plié son journal.

– Tu veux manger un morceau ici, ou tu préfères qu'on sorte dans le monde réel ?

– Ça m'est égal.

– Ça t'est égal ?

Il souriait, mais tout en fronçant les sourcils.

– Tu ne te sens pas concerné, c'est ça ? Tu *devrais*, pourtant. La vie, c'est fait pour ça, pour se sentir concerné par quelque chose. Ou mieux encore : par quelqu'un.

Décidément, il était d'humeur radieuse.

– Allons jusqu'à la Plaza Mayor, a-t-il proposé.

– OK.

– Ensuite, on ira au Prado. J'ai envie de voir quelques Velázquez. Et toi, tu aimes bien Jérôme Bosch, tu te souviens ?

– Ouais, ouais.

– Et je me suis dit qu'après, si tu as toujours envie, on pourrait aller revoir ensemble l'exposition sur le post-numérique. J'aimerais vraiment que tu me donnes ton avis sur l'exposition, surtout sur les installations de jeux vidéo.

Jeux vidéo ? Mais de quoi il me parle, là ?

– D'accord, ai-je répondu, avec un signe de tête approbateur.

– Et enfin, a continué papa en se levant de table, on trouvera un bon restaurant où dîner. Et on ira écouter de la musique. Ça te va, comme programme ?

– Oui, oui.

C'est parfait. N'importe. Je me fichais complètement de ce qu'on allait faire.

– Ça va être très sympa, a renchéri papa. Tiens, tu devrais faire un arrêt à la salle multimédia, avant qu'on se mette en route, parce qu'on sera partis toute la journée. Et après on...

– C'est pas la peine.

Papa en est resté bouche bée.

– Qu'est-ce qui t'arrive ?

– Rien, ai-je affirmé, avec la certitude qui accompagne la défaite. C'est juste que... j'ai rien à y faire.

50

Coco

Maman avait décidé qu'on passerait le jeudi après-midi au musée Rodin.

– Tu vas adorer cet endroit, me disait-elle, toute gaie et souriante, tandis que nous marchions vers le métro. C'est dans un ancien hôtel particulier tout à fait charmant, où beaucoup d'artistes du xixe et du début du xxe siècle louaient des pièces pour vivre et travailler.

Je me demandais qui ça pouvait bien intéresser. Pas moi, en tout cas. Je n'avais qu'une hâte : rentrer à Chicago. Ce voyage avait été désastreux de bout en bout. C'étaient les pires vacances que j'aie jamais passées.

Dans le métro, je me suis amusée à observer les gens. Deux étudiantes portant un foulard discutaient en riant sans arrêt. *Aucun intérêt.* Un femme tenait par la main un petit garçon qui avait des chandelles de morve verte sous le nez. *Dégoûtant.* Deux jeunes types en costume allaient travailler. L'un d'eux n'arrêtait pas de regarder maman. *Plus grossier tu meurs !*

Je détestais Paris. Ces gens prétentieux. Cette bouffe sophistiquée. Le métro avec ses odeurs corporelles écœurantes. Je n'ai pas davantage aimé le musée Rodin, quand on y est arrivées.

– Tu vas adorer, tu vas voir, m'a répété maman en me tendant un guide répertoriant toutes les sculptures.

Eh bien, non, je n'ai pas adoré. Et, soit dit en passant, la sculpture que j'ai le plus détestée s'intitulait *Le Baiser*. En marbre blanc, elle représente un homme et une femme nus sur le point de s'embrasser. Ce n'est pas parce qu'elle me faisait penser à Webb que je l'ai détestée. On ne s'était pas vraiment embrassés, à part les deux petits bisous qu'il m'avait faits sur les joues en arrivant à la gare. Je n'appelais pas ça des vrais baisers. Autrement dit, son désir pour moi s'était évaporé dès l'instant où on s'était retrouvés face à face.

Plus je regardais *Le Baiser*, plus je pensais à Webb. Le type, dans la sculpture de Rodin, avait l'air complètement scotché, comme s'il était à deux doigts d'embrasser la femme, mais qu'il n'en avait pas envie. Il avait l'air de quelqu'un qui pense à autre chose. Je détestais *Le Baiser* et les gens qui s'embrassaient et tout ce qui avait à voir de près ou de loin avec le fait de s'embrasser.

Je détestais tout autant Rodin lui-même. J'étais stupéfaite que le musée présente aussi des sculptures de Camille Claudel. C'était l'élève de Rodin et sa maîtresse, preuve que les profs pervers ont toujours existé. En fait, c'était beau, ce qu'elle faisait. Mais apparemment, Rodin l'avait larguée quand elle était devenue folle. Sa famille avait fini par la faire interner dans un asile d'aliénés où elle avait vécu pendant des décennies avant de mourir vieille et seule. *Charmant.*

Une seule chose m'avait plu dans le musée : une sculpture qui se trouvait dans le jardin. Elle s'intitulait *Balzac* : c'est le nom d'un écrivain célèbre réputé grincheux, dont je n'avais jamais entendu parler. La sculpture le représentait comme un géant effrayant. D'après le guide, quand Rodin avait dévoilé son œuvre en 1898, les Parisiens l'avaient huée. Mais moi, elle me plaisait. Et surtout, j'aimais la cape de Balzac, aussi sinistre que celle de Dracula, et son expression qui semblait dire : je me fous de ce que les gens pensent de moi.

Assise dans l'herbe en train de contempler ce M. Balzac, je me demandais combien de temps il se passerait avant que ma mère essaie de me faire interner. Elle en était tout à fait capable, mais j'aurais trouvé ça profondément injuste. Au moins, Camille Claudel avait fait l'amour, elle, avant d'aller moisir chez les fous et de mourir.

Le docteur Guillotin avait raison. Faire tomber une lame bien aiguisée sur un cou pouvait représenter un acte de compassion.

51

Andrew

Webb et moi étions de retour au Palacio de Cristal, lorsque j'ai senti vibrer mon BlackBerry.

– Je vais prendre l'appel dehors, ai-je dit à Webb. Je reviens tout de suite.

– Ça marche, a-t-il répondu d'un ton neutre.

L'expo semblait l'ennuyer. Cette deuxième visite était peut-être superflue. Je ne pouvais pas lui donner tort.

C'était Solange, au bout du fil.

– Si tu m'appelles pour me signaler un problème à l'exposition, ai-je aussitôt annoncé, je ne te croirai pas, parce que j'y suis en ce moment même, et tout est parfait.

– Bien sûr que tout est parfait, a dit Solange. Et c'est à toi que je le dois. Non, je t'appelle pour tout autre chose. Quelque chose de plus important.

Son ton était grave.

– Daisy.

J'ai eu un coup au cœur.

– Quelque chose qui ne va pas ?

– Qui ne va pas ? s'est-elle étonnée. Au contraire, tout

va très bien, et vous deux vous allez mieux ensemble que n'importe quel couple que j'aie jamais rencontré.

Ouf, quel soulagement.

– Elle a l'air formidable, ai-je commenté.

– Non, Andrew, a rectifié Solange. Elle n'en a pas seulement l'air, elle *est* formidable. Tu as cherché sur Google ? Tu sais que c'est une véritable star, à Chicago ? Tous les restaurants où elle passe deviennent les plus cotés de la ville. Elle a de l'or dans les mains. Elle est incroyable. Est-ce que tu sais à quel point c'est une femme incroyable ?

– Je suis en train de le découvrir.

– Écoute-moi bien, a lâché Solange. Ça fait des années que Daisy ne s'est pas intéressée à un homme. Je ne sais pas ce que tu lui as dit ou ce que tu lui as fait et je ne veux pas le savoir. Mais je peux te dire que tu as réveillé son intérêt. Et si tu es intéressé toi aussi – et il faudrait que tu sois *fou* pour ne pas l'être –, ne traîne pas. Elle ne prend presque jamais de vacances. Mais elle a démissionné la semaine dernière et...

– Oui, elle m'a raconté et...

– Ce qu'elle ne t'a pas dit, c'est qu'en rentrant à Chicago, elle trouvera au moins dix propositions : les restaurants se l'arrachent. Et quand elle se lancera dans un nouveau boulot, à raison de quatre-vingts heures par semaine, *pouf*, tu auras laissé passer ta chance.

– Tu es en train de me dire que...

– Je suis en train de te dire, a articulé Solange comme si elle s'adressait à un enfant, que si tu la veux, arrange-toi pour la voir avant qu'elle ne quitte Paris.

– Mais elle part samedi, je crois. Et moi, je suis à Madrid jusqu'à samedi aussi.

– Je ne te dis pas comment t'y prendre, s'est impatientée Solange. Je te dis seulement qu'il faut le faire.

– Bien chef, ai-je répondu en souriant. Ah au fait, je voulais te demander quelque chose : tu savais qu'il y avait des manifestants le soir de l'inauguration ?

– Ne m'en parle pas. Quand je l'ai appris, j'ai essayé de rencontrer leur leader, Abraham, ou Moses ou Ezechiel. Je voulais leur proposer d'organiser gratuitement une exposition de patchworks pour eux, s'ils promettaient de ne pas faire de grabuge pendant mon expo. J'étais prête à créer un site web, une page Facebook et une vidéo sur YouTube montrant leurs femmes en train de confectionner des dessus de lit en patchwork. Évidemment, ce sont les femmes qui font tout le travail. C'est toujours comme ça, dans les sociétés misogynes.

– Et alors ?

– Ils n'ont même pas voulu me parler. Tous aussi abrutis les uns que les autres. Bon, et maintenant, tu appelles Daisy, d'accord ?

– D'accord. Tu peux me donner des tuyaux sur la façon dont je...

Mais le message FIN DE L'APPEL m'a signalé que le travail de Solange s'arrêtait là.

52

Daisy

Pour le dîner, j'avais réservé une table pour Coco et moi chez Pétrelle, mon restaurant préféré à Paris. Rien que de franchir la porte et de voir le parquet et les tables – dix tables de ferme garnies de nappes blanches en lin amidonnées et de piles de livres – me ravissait. Si le musée Rodin n'avait pas remis Coco de bonne humeur, Pétrelle y parviendrait sûrement.

J'ai commandé pour nous deux : salade de magrets de canard fumés suivie de raviolis aux écrevisses. Comme d'habitude, chaque bouchée frisait la perfection et confirmait que la cuisine est bien un art à part entière. La bonne cuisine, c'est aussi important que l'amour. Le corps en a autant besoin. Et en cuisine comme en amour, la qualité compte énormément.

– Coco, ai-je dit en dégustant ma première bouchée, tu as vu le chat, sous la table ? Voilà ce que j'adore, ici. Tu as l'impression de dîner chez toi, dans ta vieille maison de campagne, tu ne trouves pas ?

Coco a grommelé quelque chose d'inaudible. Il n'était

pas question qu'elle gâche mon dîner avec son humeur exécrable.

– On achètera des cartes postales pour envoyer à papi et mamie ? ai-je suggéré. Et à tes amies, aussi ?

– Non, a lâché Coco. Pas de cartes postales. Mais il faut que je trouve je sais pas quoi à rapporter à mes copines.

– Bon, alors réfléchissons, ai-je dit, trop heureuse que nous puissions avoir au moins un semblant de conversation. On pourrait acheter des chocolats et peut-être des pots de sel de mer français. C'est le meilleur sel du monde. Tout le monde aime...

– Maman, a maugréé Coco, je ne vais pas offrir du *sel* à mes copines !

– Très bien.

Une heure plus tard, tandis que Coco mangeait son dessert et que je savourais un expresso, une idée m'est venue.

– Si on montait à pied jusqu'au Sacré-Cœur ? La nuit, on a une vue absolument splendide, de là-haut.

– Décidément, tu trouves tout *splendide*, toi, hein ? a lancé Coco, en plantant brutalement sa cuiller dans son ramequin de flan.

J'ai pris une grande inspiration et compté jusqu'à cinq. Puis j'ai avancé la main pour la poser sur les siennes.

– Coco, ai-je dit d'un ton très doux. Je sais que quelque chose te tracasse. Et je sais que tu sais que, quoique que tu aies à me dire, je suis toujours prête à t'écouter, si tu en as envie. Mais je suis incapable de deviner ce qui ne va pas. Si tu ne veux pas m'en parler, ça te regarde. Mais je n'ai pas à supporter cette attitude. Et je ne la supporterai pas une minute de plus.

254

Elle s'est de nouveau attaquée à son flan, pour en prendre une autre cuillerée, mais sa bouche s'est mise à trembler. Je détestais la faire pleurer. Mais pas assez pour faire machine arrière.

– Si je t'ai amenée à Paris, ai-je poursuivi, c'est parce que je voulais te faire connaître cette ville, cette ville *magique*, je voulais que tu la découvres pour la première fois en adulte, avec quelqu'un qui t'aimera toujours.

Elle était au bord des larmes, à présent. Mais quoi? C'était la vérité. Je voulais que son premier séjour à Paris, en tant qu'adulte, se fasse avec moi. J'avais piqué cette idée dans le magazine *People*. Le père de Gwyneth Paltrow avait emmené sa fille à Paris quand elle était jeune, exactement pour la même raison. Mieux vaut tomber amoureux de Paris avec son père ou sa mère qu'y venir quelques années plus tard et confondre l'amour de cette ville et une histoire d'amour avec un abruti qui parle anglais avec un accent irrésistible. Pas la peine que ma fille fasse la même erreur que moi.

– Et je vais te dire, ai-je ajouté, ce qui est fou, avec l'amour, c'est que tu peux dire les pires horreurs à celui ou celle qui t'aime, eh bien, il ou elle t'aimera toujours.

Maintenant, elle pleurait carrément. Il y avait vraiment un problème. Mais elle s'obstinait à ne rien dire.

– Alors, ai-je repris, en lui caressant la main, est-ce qu'il y a quelque chose dont tu voudrais me parler? Je te promets de ne pas me mettre en colère.

J'ai marqué un temps et j'ai souri.

– Ou en tout cas, pas pour trop longtemps.

Des larmes roulaient sur ses joues.

– Non, tu ne peux rien faire. Je suis seulement...

– Seulement quoi ? ai-je insisté. Qu'est-ce qui pourrait te rendre heureuse, là, maintenant ?

Elle a secoué la tête en pleurant.

– Je ne sais pas ce que je veux. Sauf que... Rien.

Coco tout crachée. Telle mère, telle fille.

Nous avons pris un taxi pour rentrer à l'appartement. Elle m'a quand même laissée passer le bras autour de ses épaules, dans le taxi.

– Hé, je sais ce qui pourrait te faire retrouver le sourire, ai-je dit en sortant de ma poche le portable de Solange. Solange nous prête ça. Tu peux aller voir tes e-mails avec, envoyer des textos, faire ce que tu veux.

Je lui ai tendu le portable, mais elle l'a repoussé et s'est enfoui le visage dans les mains.

– Je n'irai plus jamais en ligne, a-t-elle sangloté. Plus jamais !

J'ai fermé les yeux pendant tout le reste du trajet.

Le téléphone sonnait quand j'ai ouvert la porte de l'appartement.

– Allô ? ai-je dit, gaiement.

– Bonsoir, c'est Andrew.

Je l'avais tout de suite reconnu, mais lui faisait comme si cela n'allait pas de soi, et j'aimais bien cette attitude.

– Bonsoir, bonsoir, ai-je répondu en emportant le téléphone dans la chambre.

– Il m'est venu une idée complètement folle. Vous avez une minute ?

Il semblait tendu.

– Oui, oui, ai-je dit.

– Bien, alors, voilà. Que diriez-vous d'un dîner à Barcelone demain soir ? Avec nos deux gardiens ?

– Nos deux *quoi* ? ai-je demandé.

– Nos enfants. Webb et Coco.

Jour 6 : vendredi

Carte d'embarquement
Boarding pass
TKNE
DAISY M. SPRINKLE
PARIS - ORY
BARCELONA - BCN
1230   Y 22APR 12:05PM
                      M10C
1:50PM
                      VOY
AIR FRANCE

Carte d'embarquement
Boarding pass
ANDREW R. NELSON
MADRID - MAD
BARCELONA - BCN
7555   Y 22APR 1:50PM
                      MNO
1:40PM   M 20A
            MLLLLM
Spanair

Carte d'embarquement
Boarding pass
TKNE
COCO L. SPRINKLE
PARIS - ORY
BARCELONA - BCN
1230   Y 22APR 12:05PM
                      M10B MNO
1:50PM   M
            MLLLLM
VOYAGEUR   026
AIR FRANCE

Carte d'embarquement
Boarding pass
WEBB G. NELSON
MADRID - MAD
BARCELONA - BCN
7555   Y 22APR 1:50PM
                      MNO
1:40PM   M 20B
            MLLLLM
Spanair

Chère Madame 6B,

Je suis sincèrement désolé de vous avoir si maladroitement
bousculée en embarquant. Je me ferai un plaisir de vous
rembourser le nettoyage de votre chemisier ou de vous en acheter
un autre. Mais à vrai dire, je serais plus heureux encore si vous
me permettiez de vous inviter à dîner lorsque nous serons
rentrés l'un et l'autre outre-Atlantique. Si tant est que vous
ayez l'intention de retourner aux États-Unis. (Vous pourriez
très bien être parisienne. Vous en avez d'ailleurs l'allure.)

53

Webb

Papa m'a tout expliqué en faisant ses bagages.

– Ce n'est qu'à une heure de vol. Et puis c'est une de tes villes préférées.

C'était vrai. J'adorais Barcelone. C'était la première ville d'Europe que j'avais visitée. Papa m'y avait emmené quand j'avais sept ans. C'était là qu'il m'avait parlé de ma mère.

– Et comme on est tout près, a-t-il continué, c'est l'occasion. J'aurais pu y penser avant qu'on parte de Saint Louis.

Il s'est retourné pour me regarder.

– Alors, tu te lèves et tu commences à faire tes bagages, d'accord ? Ah, et tu mettras ta belle veste bleu marine.

– Pourquoi ?

– Parce que j'aimerais qu'on aille dîner dans un bon restaurant.

– OK. Et on aura le temps de voir un peu des trucs de Gaudí ?

– Bien sûr. L'avion décolle à 13 h 30, on sera à Barcelone à 15 heures.

– Cool.

Ça me permettrait peut-être d'oublier un peu le fiasco avec Coco. Ce truc continuait à m'obséder.

– On a rendez-vous avec une amie à moi, dans ce restaurant, a ajouté papa. Elle a une fille de ton âge. Qui vient aussi, je crois.

– Ah ouais ?

– Oui. Ça te va ?

– Ouais, ai-je dit. En fait, c'est même... C'est super.

C'était exactement ce qu'il me fallait. Quelque chose – ou mieux, quelqu'un – qui me fasse oublier Coco.

54

Coco

– *Barcelone*? ai-je éructé.

C'était une coalition, ou quoi? Tout me rappelait Webb. Tout le monde cherchait à me torturer.

– Ce n'est qu'à une heure trente de vol, a dit maman.

– Mais on est à Paris, ai-je protesté. Pourquoi tu veux toujours partir?

Et tout à coup j'ai compris : maman était en train de revivre une sorte de choc émotionnel. Je connaissais toute l'histoire : quand elle faisait ses études dans une école de cuisine parisienne, elle était tombée amoureuse du chef : mon père. Revenir ici avec moi devait faire remonter tous ces souvenirs pénibles.

– Ce n'est pas que je veux toujours partir, a dit maman, tout en pliant avec soin son nouveau chemisier en soie, pour le mettre dans sa valise. Mais je me suis dit que nous pourrions revenir quand Solange sera là. Ce serait sympa de passer quelques jours avec elle, non?

– Sûrement, ai-je répondu. Sauf qu'ici c'est carrément trop petit pour trois.

– On s'amuserait bien, a affirmé maman. Ce serait comme une soirée pyjama.

Ouais, d'accord.

– Nous reviendrons peut-être l'année prochaine, a-t-elle repris. Ou à Noël. Ah, au fait, emporte une jolie tenue pour ce soir. On va dîner avec un ami à moi.

– Très bien.

– Il viendra peut-être avec son fils, d'ailleurs, a-t-elle ajouté avant d'aller prendre sa douche. Il a à peu près ton âge.

– Il parle anglais ?

– Oui, a répondu maman, de la salle de bains. Ça va être marrant.

Bof ! Je m'en fous, de toute façon.

– Je descends chercher des viennoiseries pour le petit déjeuner, ai-je lancé en quittant l'appartement. Je reviens dans cinq minutes.

55

Andrew

Comme par hasard, j'avais oublié de dire à Daisy dans quel hôtel j'avais réservé.

– Je suis désolé de vous déranger une fois de plus, ai-je dit quand je l'ai appelée pour lui donner le nom et l'adresse de l'hôtel.

– Non, non, pas du tout. Vous êtes à l'aéroport ?

– Pas encore. J'attends un taxi avec Webb.

– Et moi j'en suis encore à faire ma valise, a précisé Daisy. Coco est descendue acheter des viennoiseries pour le petit déjeuner.

– Vous lui avez dit..., ai-je commencé, en me détournant pour que Webb n'entende pas.

– Je viens de lui annoncer que vous aviez un fils d'à peu près son âge. Et vous ?

– Pareil.

Je ne pouvais guère donner plus de détails, avec Webb à deux mètres de moi.

– C'est un peu la version adulte de *À nous quatre*[1], s'est esclaffée Daisy.

– C'est-à-dire ?

– Vous n'avez pas vu ce film ? C'est l'histoire de deux jumelles qui essaient de réconcilier leurs parents.

– Vous n'êtes pas en train d'insinuer que votre fille et mon...

– Non, non, non. Mais vous m'avez dit que votre fils avait bien besoin de rencontrer une fille comme Coco. Et je crois que ça ferait beaucoup de bien à ma fille de rencontrer Webb.

– Vous avez beaucoup de choses en commun avec Solange.

Elle a ri.

– On se retrouve donc à 21 heures au restaurant que m'avez indiqué, d'accord ?

– Plus que d'accord, ai-je dit. À tout à l'heure.

– Au revoir, a-t-elle soufflé d'une voix douce.

Elle a raccroché. Moi, je suis resté le téléphone collé à l'oreille. Je n'en revenais pas de la chance que j'avais.

---

1. *The Parent Trap* : comédie américaine sortie en 1998. Deux adolescentes se rencontrent dans un camp de vacances et découvrent qu'elles sont jumelles. L'une a été élevée par sa mère, l'autre par son père. Elles décident d'échanger leur identité pour tenter de réconcilier leurs parents (NDT).

56

Daisy

Assise sur le futon, Coco dépeçait un croissant. Elle refusait de le poser sur une assiette, comme je le lui avais demandé plusieurs fois, si bien que des miettes grasses tombaient en pluie partout. Elle continuait à faire la tête, mais je me blindais contre sa mauvaise humeur.

– Laisse ton sac ici, lui ai-je conseillé. Nous mettrons tout dans ma valise.

– Si tu veux, a-t-elle admis d'un ton maussade en engloutissant le reste du croissant.

J'ai compté jusqu'à dix avant de répondre :

– Pourquoi tu ne prends pas ta tunique gitane ? Tu es tellement mignonne, dedans.

– En fait, j'ai pas envie d'être *mignonne*. En plus elle est toute chiffonnée.

Elle l'a sortie de son sac avec une grimace.

– J'ai horreur des trucs chiffonnés.

– Elle n'est pas chiffonnée, c'est le tissu qui est comme ça, ai-je répliqué avec fermeté. Mais on pourra la repasser à l'hôtel, à Barcelone, si tu y tiens.

Elle a jeté la tunique dans ma direction. Je l'ai attrapée

et fourrée dans ma valise au-dessus du pantalon noir que je lui avais acheté aux Galeries Lafayette.

– Tu as pris ta brosse à dents ? ai-je demandé. Ta brosse à cheveux ? Ta trousse de maquillage ?

Elle est allée dans la salle de bains d'une démarche très théâtrale.

Pourquoi fallait-il se battre pour tout ? J'en avais assez. Vivre avec une adolescente équivalait bien à sept ans de goulag.

– Tiens, m'a-t-elle lancé en me tendant, d'un air exaspéré, sa brosse à dents trempée.

– Merci. Tu ne veux pas emporter ta brosse à cheveux, ou ton brillant à lèvres, ou...

– Si je voulais les emporter, maman, je te les aurais donnés. Est-ce qu'on va enfin pouvoir y aller ?

57

Webb

– Alors déjà, tu me donnes comme premier prénom le nom d'un type qui écrit des chansons ringardes. Et comme deuxième prénom, celui d'un mec qui vivait dans une église ? Bien joué, papa.

Mon père m'a ébouriffé les cheveux. Nous étions dans la Sagrada Família, la basilique la plus célèbre de Barcelone. Puis il s'est défendu :

– Jimmy Webb a écrit de très belles chansons. Tu les apprécieras mieux en vieillissant, tu verras. Quant à Antoni Gaudí, oui, c'est vrai, il a vécu dans la Sagrada Família, à l'époque où il y travaillait.

– C'était un SDF, si je comprends bien ?

– Il était obsédé par son travail, a expliqué papa.

– Et tu trouves que c'est une bonne chose, c'est ça ?

– Oui, sans doute, a admis papa. J'admire les artistes qui tombent amoureux de leur œuvre. Il y a une certaine noblesse dans une obsession, quand elle mène à quelque chose d'aussi grandiose. Webb, regarde. Ce type était un génie. Un anticonformiste absolu.

Là, il venait de marquer un point. Dans cette église éclai-

269

rée à la bougie, on avait l'impression d'être dans le ventre d'une baleine, sauf que partout où l'on regardait, on voyait des scènes religieuses nichées dans des alvéoles de béton.

On avait passé la fin de l'après-midi dans nos monuments préférés de Gaudí : la Casa Batlló, le parc Güell et la petite maison que Gaudí s'y était construite. On avait gardé la Sagrada Família pour la fin. Papa m'emmenait rarement visiter des églises, chez nous. Mais il trouvait que des endroits comme celui-là étaient de nature à donner des leçons de spiritualité. Parfois, j'arrivais presque à comprendre ce qu'il me disait.

Le fait de me trouver dans la Sagrada Família m'a absous de toute l'affaire de Coco. Je me disais que j'étais peut-être pardonné d'avoir menti et caché à mon père mon voyage à Paris. Ça avait été un tel désastre que la punition était suffisante, non ?

À un moment, on s'est assis tous les deux sur un banc au milieu de l'église.

– Je crois que je commence à piger ce que ce lieu essaie de transmettre, ai-je déclaré en regardant en l'air.

– Dis-moi.

– C'est difficile de mettre des mots dessus.

Nous sommes restés sans rien dire pendant quelques minutes. Il y avait une odeur, une atmosphère sacrées, dans la basilique. C'était le moment et l'endroit rêvé pour avouer à papa que j'étais allé à Paris. Mais je n'y arrivais pas.

– Tu veux savoir ce que me dit cette église, à moi ? m'a-t-il demandé d'une voix posée. Elle me dit : regarde ce que quelqu'un peut réaliser quand il est focalisé sur quelque chose de précis. Quand il ne se disperse pas dans le « multitâche ».

– *Papaaaaa !* ai-je grogné. Pas de leçon de morale, s'il te plaît.

Ça ne l'a pas arrêté.

– Elle me dit que l'homme qui a réalisé ça s'est surpassé, sans jamais avoir peur du ridicule.

Ridicule, ça m'a fait penser à l'épisode du fromage qui pue, avec Coco : là, je devais avoir l'air carrément ridicule. Pourquoi je ne lui avais pas dit, tout simplement, que je n'aimais pas le fromage qui sent le vomi ? J'aurais pu lui faire croire aussi que j'étais allergique aux laitages. Pourquoi j'avais joué ce jeu sournois ? Pourquoi avait-il fallu que je lui arrache le sac des mains, comme une racaille de douze ans ?

Ou alors, si la vie devait nous mettre dans des situations aussi désagréables, pourquoi on n'était pas tous équipés d'un bouton « annuler » ? Il n'y avait pas quelqu'un qui pouvait venir avec une application pour effacer les actions qu'on regrettait ? Je ne voulais pas faire Ctrl/Alt/Del pour effacer la rencontre avec Coco, non, juste la réaction stupide que j'avais eue à propos de ce satané de fromage.

Papa parlait toujours.

– Quand Antoni Gaudí a finalement passé ses examens, un de ses professeurs lui a dit : « Qui sait si nous avons décerné ce diplôme à un fou ou à un génie ? L'avenir le dira. »

– Et Gaudí a eu le dernier mot, quoi, ai-je conclu.

Papa s'est tourné vers moi et m'a regardé d'un air grave.

– Je veux que tu te passionnes pour quelque chose, Webb.

– Tu me mets pas la pression, là ?

– Pas du tout.

Il m'a pris par l'épaule.

– Si tu veux devenir concierge, ça me va très bien, du moment que ça te fait vibrer.

J'adorais papa et son vocabulaire trop stylé.

– Concierge, je ne crois pas que ça me plairait, ai-je répliqué. Je suis pas assez ordonné.

– D'accord. Je ne te demande pas ce que tu veux faire. Ça viendra plus tard. Mais je te demande de *vouloir* plus que simplement avoir un boulot et passer ta vie à ramer. Je veux que tu trouves une passion en laquelle tu croies suffisamment pour prendre le risque d'être humilié ou exclu.

Si papa avait su l'humiliation et l'exclusion dont j'avais été victime à Paris !

Notre discussion a continué dans le taxi qui nous emmenait au restaurant.

– Quand on y réfléchit, Jimmy Webb et Antoni Gaudí ont pas mal de points communs, disait papa. Ils avaient tous les deux un talent fou et ils auraient pu choisir la facilité, écrire des chansons que tout le monde aurait oubliées et dessiner des immeubles fonctionnels qui auraient plu à une majorité de gens. Mais ils ne l'ont pas fait.

– Mmm, mmm.

Papa était parti sur sa lancée. Il a continué comme ça pendant tout le trajet en taxi, jusqu'au restaurant.

– Ils ont pris des risques, Webb. Tu ne peux pas imaginer combien c'est important d'être capable de prendre des risques, dans la vie. D'être audacieux. Parce que si tu as de l'audace...

Je ne l'écoutais plus. J'avais senti quelque chose, dans l'air, un changement. Ça m'a frappé dès que je suis descendu du taxi et que je me suis retrouvé sur le trottoir. Je l'ai perçu avant même de le voir. Mais tout à coup je l'avais, là, sous les yeux : ce tissu bariolé si étrangement familier.

La tunique gitane.

Coco.

Oh, j'y crois pas.

58

Coco

– Oh, merde !

– Coco ! a sifflé maman entre ses dents, en me donnant un coup de coude.

Ensuite elle a fait un signe de la main à Webb et à un type plus âgé. Ils sortaient ensemble d'un taxi.

– Andrew ! Bonsoir ! Je vous présente ma fille, Coco.

Le type m'a serré la main.

– Enchanté. Et je vous présente à toutes les deux mon fils, Webb.

Il était en jean et veste bleu marine.

– Bonjour, ai-je dit froidement.

– Bonjour.

Bon Dieu, mais c'était pas possible, je rêvais ! Mais oui, c'était un rêve. Forcément. Ça n'arrive jamais, ça, dans la vraie vie. Mais pourtant... Webb était en couleur ! Tout était en couleur. Donc je ne rêvais pas.

– N'est-ce pas, Coco ? me disait maman.

– Hein, quoi ? ai-je marmonné.

Pourquoi j'avais mis ce pantalon noir complètement naze ? Je le détestais. Grrr ! J'aurais pu étrangler ma mère.

– Andrew te demande si tu as aimé Barcelone, a susurré maman du ton, genre, « sois polie avec le monsieur ».

– Oui, oui, ai-je réussi à répondre.

De nouveau j'ai jeté un coup d'œil vers Webb pour vérifier que je n'avais pas rêvé.

Comment est-il arrivé ici ? Comment se fait-il que maman connaisse son père ?

– Nous avons passé l'après-midi à la Casa Batlló, racontait maman. Comme vous nous l'aviez conseillé.

– Webb aime beaucoup cette maison, a répondu le type. N'est-ce pas, Webb ?

– Mmm, mmm, a répondu Webb, sans même me regarder.

– Je vous propose d'entrer, pour voir si notre table est prête, a suggéré le type, en nous tenant la porte, à maman et à moi.

– Eh bien, allons-y.

Avec un grand sourire, maman s'est dirigée vers l'entrée du restaurant.

– Ouais, j'ai fait en essayant de me souvenir comment mettre un pied devant l'autre.

– Tu as une très jolie tunique, Coco, m'a lancé le type âgé quand je suis passée devant lui.

Je me suis dévissé le cou pour me retourner et regarder Webb. Tête baissée, les yeux rivés sur ses chaussures, il souriait jusqu'aux oreilles.

59

Andrew

Je ne connaissais pas le père de Coco, mais ce que je pouvais dire avec certitude, et non sans quelque satisfaction, c'était que génétiquement, il ne lui avait pas transmis grand-chose.

Coco ressemblait trait pour trait à sa mère. Les mêmes cheveux châtain doré. Le même nez fin. Si j'étais amené à mieux connaître cette jeune femme, je me ferais un plaisir de lui dire qu'elle n'avait pas besoin d'avoir peur de vieillir. Sa mère en était la preuve vivante.

Nous ayant conduits à notre table, le maître d'hôtel a tiré la chaise de Daisy pour l'inviter à s'asseoir. J'ai essayé d'attirer le regard de Webb, voulant lui suggérer d'en faire autant pour Coco, mais en vain : il ne la regardait même pas. Il fixait la nappe d'un air totalement absent.

– J'aime déjà cet endroit, a annoncé Daisy en admirant les murs de pierre. Mmm, sentez-moi cette odeur d'ail.

– Ça n'a pas été facile de choisir un restaurant pour ce soir, ai-je confessé.

Puis, me tournant vers Webb :

276

– Daisy est chef à Chicago. Le meilleur chef de Chicago, même, je le sais de source sûre.

Daisy a souri d'un air modeste. Elle était superbe dans son chemisier de soie ivoire. Les chemisiers de soie faisaient apparemment partie de son uniforme. Elle voyageait donc léger, et ça me plaisait bien. Je me suis surpris à rêver des voyages que nous pourrions faire ensemble. Rome. Édimbourg. Prague. Tokyo.

– Je vais avoir besoin d'un traducteur, a dit Daisy en ouvrant le menu. Je ne reconnais aucun de ces mots. C'est de l'espagnol ?

– Du catalan, ai-je dit. Webb est plus fort que moi, dans ce domaine. Il l'a étudié par plaisir pendant plusieurs années. N'est-ce pas Webb ?

Pas de réponse.

– Et c'est vraiment un excellent restaurant, ai-je ajouté. Je dirais même un de nos préférés. Tu es d'accord, Webb ?

Toujours pas de réponse. J'avais envie de l'étrangler.

Fais un effort ! Connecte-toi ! Intéresse-toi à la conversation. Fais comme si c'étaient des gens que tu rencontres sur Internet. Surpasse-toi, bon Dieu !

J'ai commandé une bouteille de vin pour Daisy et moi.

– Les fruits de mer sont délicieux, ici, ai-je précisé. Tu aimes les fruits de mer, Coco ? J'imagine que tu as un palais bien plus délicat que n'importe lequel de tes camarades de classe.

Pas de réponse non plus.

La soirée risque d'être longue.

60

Daisy

– Coco, ai-je dit, en m'efforçant de masquer mon agacement, Andrew t'a posé une question à propos de ton palais.

– Faire quoi ?

Pourquoi joue-t-elle les demeurées ? D'habitude elle est brillante, quand elle a un public. Alors pourquoi ne met-elle pas ce talent en œuvre pour Andrew et son fils que je trouve tellement adorable ?

– Ton *palais*, ai-je répété.

Elle savait très bien ce que ça voulait dire. Mais elle ne faisait aucun effort. J'aurais peut-être dû lui expliquer que j'avais des vues sur cet homme.

– Ah, mon palais, a dit Coco. Je dirais qu'il n'a rien de spécial.

– Je ne suis pas de ton avis, suis-je intervenue. Tu te souviens de l'histoire des nouilles au fromage, à l'école ?

– Ah oui, a répondu Coco dont le visage s'éclaira soudain. Une fois, à l'école, on m'a renvoyée chez moi parce que je pleurais devant mon assiette de nouilles au fromage, à la cantine. Mais c'était absolument infâme, ce truc.

– Je suis bien d'accord, ai-je commenté en étudiant la carte.

– Quoi, qu'est-ce qu'il y a d'infâme dans les nouilles au fromage ? s'est étonné Webb.

J'ai vu Andrew se tasser sur sa chaise, avant de demander :

– C'est l'horrible truc orange que tu me fais acheter ?

– C'est trop bon, a commenté Webb. Surtout avec des œufs brouillés. Arrête, papa, tu aimes ça aussi.

– Je... euh, a commencé Andrew. Je reconnais qu'il m'est peut-être arrivé de...

– D'en manger une pleine assiette, a dit Webb, avec un grand sourire.

J'ai souri aussi, mais Andrew était très mal à l'aise. Il fallait changer de sujet, et vite. Je me suis penchée vers Coco.

– Tu savais que le prénom de Webb était un hommage à Jimmy Webb ? C'est un auteur-compositeur qui...

– Ouais, je sais, a coupé Coco. *Gavelston*, *MacArthur Park*, *Wichita Lineman*.

– Alors là, je suis impressionné ! a lancé Andrew. Tu entends ça, Webb ? Toi qui prétends que votre génération ne connaît pas Jimmy Webb.

Je me suis tournée vers Coco.

– Comment se fait-il que tu connaisses toutes ces vieilles chansons ?

Elle s'est contentée de hausser les épaules.

Le sommelier nous apportait le vin. Il l'a fait goûter à Andrew.

– Très bien, a dit celui-ci après en avoir pris une gorgée.

Puis, s'adressant à moi :

– Bon, alors, j'ai une colle pour vous. Le deuxième prénom de Webb est le nom de famille d'un architecte célèbre.

– Wright ? ai-je proposé.

– Non, a dit Andrew.

– Laissez-moi réfléchir, euh...

Ah, bravo. J'ai un blanc. Il y a des dizaines d'architectes célèbres dans le monde et le seul nom qui me vienne à l'esprit, c'est Frank Lloyd Wright.

– Ce n'est pas Buckminster Fuller, quand même, ai-je risqué.

– Perdu, a répondu Andrew.

– Oh, attendez, ai-je dit en riant. Sullivan ? Louis Sullivan ?

– C'est pas ça non plus, a dit Webb. Mais bravo quand même.

– Van der Rohe ?

– Non plus.

Andrew jubilait. Webb aussi. Je me félicitais que le sommelier m'ait généreusement servie.

– Allez, Coco, aide-moi, ai-je dit en reprenant une gorgée de vin.

– Ce ne serait pas... Gaudí ? a demandé Coco.

Andrew a applaudi avec un tel enthousiasme qu'il a renversé la bouteille de vin. Le liquide rouge sang a éclaboussé mon chemisier en soie tout neuf.

– Oh, bon Dieu ! s'est-il exclamé en saisissant sa serviette que j'ai vue arriver droit sur mes seins. Je suis vraiment navré. Je peux vous aider à...

– Mais non, mais non, ce n'est rien, ai-je dit en essuyant la tache avec une nonchalance qui m'a surprise moi-même. Aucune importance, je vous assure.

61

Webb

Quand j'ai vu Coco regarder sa mère en haussant les sourcils, je me suis souvenu : sa mère, c'était le genre à dépenser des fortunes en fringues.

J'ai tout de suite su ce que pensait Coco, parce que je pensais la même chose. *Il y a quelque chose entre nos parents.*

– Et comment vous vous êtes connus ? ai-je demandé.

– C'est vrai, ça, comment se fait-il que vous vous connaissiez, tous les deux ? s'est empressée d'ajouter Coco.

– Tu te souviens du service que j'ai rendu à Solange ? a dit la mère de Coco. Faire la cuisine pour la soirée de gala du musée, à Madrid ? Eh bien c'est Andrew qui a conçu l'exposition.

Papa s'est tourné vers moi.

– Tu sais, Webb, les cookies et le *gooey butter cake* qu'il y avait au buffet, le soir de l'expo ?

– Ouais ? ai-je répondu prudemment, ne voyant pas du tout de quoi il me parlait.

– C'est Daisy qui les avait faits, a expliqué papa. Euh, je devrais dire Mrs. Sprinkle.

– Daisy, c'est très bien, a dit la mère de Coco.

281

Elle était presque aussi jolie que sa fille.

Le garçon est arrivé pour prendre la commande. J'ai regardé la carte, mais elle s'était métamorphosée en un tableau de Jérôme Bosch, plein de minuscules personnages rieurs qui tourbillonnaient dans une espèce de nœud d'humains.

62

Coco

Je voyais bien que Webb essayait de reconstituer le puzzle, exactement comme moi. Si ma mère et son père se connaissaient, est-ce que ça voulait dire qu'ils savaient pour *nous* ?

Ça me paraissait impossible. Maman était toute gentille avec moi. Elle aurait bouillonné comme un chaudron, si elle avait su que j'avais fait semblant d'être malade pour ne pas aller à Madrid.

Encore que, elle m'avait bien cuisinée, pas plus tard que la veille, pour que je crache le morceau. Quel morceau ? Mystère.

Je l'ai observée plus attentivement. Elle dévorait des yeux le père de Webb. Elle riait et battait des cils comme une lolita dans un dessin animé.

Et tout à coup, ça m'a frappée comme un gifle. Ce vieux mec, là, c'était pas mon *père*, quand même ? J'ai failli avaler ma gorgée d'eau de travers.

– Ça va, ma chérie ? s'est inquiétée maman.

– Oui, oui, très bien.

J'avais toujours pensé que mon père était français. Mais

si ça se trouve, il était américain. Un chef qui travaillait à Paris dix-neuf ans plus tôt pouvait très bien être américain, non ?

J'ai pris une bonne inspiration pour demander :

– Et alors, vous vous connaissez depuis combien de temps, tous les deux ?

Le père de Webb a regardé maman en souriant. Mon cœur s'est serré. Puis il s'est mis à palpiter très vite.

Attends, attends. Si Webb savait que son père était aussi le mien, ça pouvait expliquer pourquoi il n'avait pas voulu faire l'amour tantrique avec moi. J'étais sa sœur !

Oh, punaise ! On aurait dit un remake européen de *À nous quatre* !

C'est maman qui a répondu :

– Depuis jeudi soir.

Eh, merde !

63

Andrew

Nos plats sont arrivés, et c'était certainement exquis. Mais je n'avais pas d'appétit. Pas ce genre d'appétit, en tout cas.

Je ne pouvais pas détacher mes yeux de Daisy. Même dans son chemisier taché de vin, elle rayonnait. Webb avait l'air de l'apprécier aussi.

– Vous savez faire la crème brûlée ? lui a-t-il demandé au dessert.

– Bien sûr, a répondu Daisy.

Et pendant qu'elle expliquait à Webb comment faire, d'une façon subtile et encourageante (« C'est facile, si on a les bons ustensiles »), je n'ai pas résisté à l'envie de poser ma main sur son genou, sous la table. Elle a paru surprise mais aussi – *était-ce si fou de le penser ?* – ravie.

– La crème brûlée est un excellent dessert à servir à table, commentait Daisy. À condition de ne pas mettre le feu aux invités.

– C'est déjà arrivé ? a demandé Webb, avec une étrange lueur de jubilation dans les yeux.

Je vous en prie, ne faites pas attention à la fascination de mon fils pour le feu. Il n'est pas dangereux.

– Non, a dit Daisy. Mais il faut manier le chalumeau avec précaution. N'est-ce pas, Coco ?

– Maman fait allusion à la fois où j'ai failli mettre le feu à la maison en voulant faire une omelette norvégienne.

– Tu sais faire l'omelette norvégienne ? a demandé Webb. Avec des flammes et tout ?

Arrête de te faire passer pour un pyromane.

– Carrément, a répondu Coco. C'est pas dur.

– Tu es sérieuse ? a insisté Webb.

– Coco, tu devrais envoyer la recette à Webb par e-mail, quand on sera rentrées, a suggéré Daisy.

Elle a sorti de son sac à main un stylo plume et un petit étui en argent contenant des cartes de visite.

– Tenez, a dit Daisy en tendant une carte à Webb et une à Coco. Échangez donc vos e-mails, pour pouvoir rester en contact.

Au moment où elle rangeait l'étui, je l'ai vue faire une grimace en découvrant quelque chose, dans son sac. Elle a sorti un bout de papier plié qu'elle m'a tendu. Je l'ai tout de suite reconnu, mais je l'ai relu, comme pour remuer le couteau dans la plaie.

Chère Madame 6B,

Je suis sincèrement désolé de vous avoir si maladroitement bousculée en embarquant. Je me ferai un plaisir de vous rembourser le nettoyage de votre chemisier ou de vous en acheter un autre. Mais, à vrai dire, je serais plus heureux encore si vous me permettiez de vous inviter à dîner lorsque nous serons rentrés l'un et l'autre outre-Atlantique. Si tant est que vous ayez l'intention de retourner aux États-Unis. (Vous pourriez très bien être parisienne. Vous en avez d'ailleurs l'allure.)

Si je voyageais seul, j'aurais peut-être l'audace de me présenter à notre arrivée à Paris. Mais pour l'heure je ne peux que vous inviter à m'envoyer un e-mail, au cas où vous auriez envie de rencontrer un admirateur terriblement confus d'avoir endommagé vos atours de voyage.

Très cordialement

Mr. 13C

Mon e-mail : lineman@com

P.S. : Vous êtes vraiment une femme de première classe.

64

Daisy

– C'est ce dont je vous avais parlé, ai-je chuchoté à Andrew qui dépliait le mot.

Je parlais à demi-mot, car je n'avais rien dit à Coco de mon espèce d'admirateur secret et je n'en avais pas l'intention. Elle était déjà bien assez angoissée à l'idée de fréquenter des garçons, ce n'était pas la peine d'en rajouter.

J'observais Webb et Coco échanger leurs adresses e-mails. Ou j'avais la berlue, ou il se passait quelque chose entre eux. Une étincelle d'intérêt, peut-être ? Ou simplement une saine curiosité.

– Eh bien, oui, envoyez-moi un e-mail, un de ces jours, monsieur Nelson, a lancé Coco d'un ton glacial.

– Je n'y manquerai pas, miss Sprinkle, a rétorqué Webb.

– Avec plaisir, a dit Coco en faisant papilloter ses paupières comme une bombe sexuelle dans une série culte. Je serai de retour samedi soir tard.

– Moi aussi, a répondu Webb. Nous décollons de Paris demain.

Ils blaguaient et riaient à propos des vols du lendemain et des avantages de mettre ou de ne pas mettre ses bagages dans la soute. Je ne pouvais m'empêcher de savourer ce moment. Coco s'avérait une jeune fille agréable. La mauvaise humeur qu'elle cultivait depuis une semaine n'était dirigée que contre moi et non contre le monde entier. Excellente nouvelle, vraiment. Ma fille se débrouillerait très bien à la fac – et dans la vie. J'avais accompli ma mission.

Quant au fils d'Andrew, je le trouvais adorable. Peut-être était-ce lui qui révélait les meilleurs côtés de Coco.

– Vous deux aussi, vous devriez échanger vos adresses e-mail, a dit Coco dont les yeux allaient d'Andrew à moi.

– Oh, bien sûr, je suis impardonnable, ai-je dit en sortant mon porte-cartes pour en donner une à Andrew. Maintenant, vous saurez où me trouver en ligne.

Mais Andrew était toujours absorbé et visiblement interloqué par la lecture du message manuscrit que je lui avais passé. Il l'a replié et me l'a rendu, avec un drôle d'air.

– Papa, donne-lui ton adresse e-mail, a suggéré Webb.

– Je... je communique assez peu par e-mail, a marmonné Andrew, tout en faisant signe au garçon d'apporter l'addition.

Webb a éclaté de rire.

– Tu rigoles, papa ? Tu es carrément accro à ton Black-Berry.

Andrew s'est éclairci la voix.

– Je l'ai été, c'est vrai. Mais je m'efforce d'échanger davantage. Je veux dire en face à face avec les gens. Ou quelquefois par téléphone. Ou...

– Mais qu'est-ce que tu racontes ? a coupé Webb. Tu n'éteins même pas ton téléphone quand tu vas te coucher. Rappelle-toi la dernière fois qu'on était à Madrid : tu te levais au milieu de la nuit pour regarder tes e-mails. Alors, donne-lui ton adresse.

J'ai senti mon cœur se serrer. J'ai vu la pièce tourner autour de moi. Il a fallu que je pose les mains sur la table pour me stabiliser.

– *Pa-pa*, insistait Webb, *donne*-lui ton adresse e-mail, enfin !

Andrew avait l'air de souffrir.

– Désolé, je ne peux pas. Excusez-moi, je vais essayer de trouver le garçon.

Il s'est levé de table.

Il y avait quelqu'un dans sa vie, c'était sûr et certain. Il avait quelqu'un, à Saint Louis. Ou à Madrid. Et peut-être quelqu'un d'autre à Barcelone. Et à Paris.

Mais quelle idiote ! Comment avais-je pu être aussi naïve ?

Oh mon Dieu, je vais avoir un infarctus.

Respire, respire, respire.

– Bon, on y va, Coco, ai-je dit en me levant.

Ce n'est pas un infarctus, me suis-je répété. C'est de l'angoisse, rien de plus. Et l'angoisse n'est ni plus ni moins que de la colère refoulée.

– Attendez, a lancé Webb, en cherchant des yeux son père. Attendez que mon père...

– Non, ai-je dit. Nous partons.

Contre qui êtes-vous en colère ? Personne. Je ne suis pas du tout en colère. J'avais expliqué ça maintes fois à Nancy.

Si, si, vous êtes dans une colère folle. Contre qui ? Je ne suis ni folle ni en colère ! Je suis simplement fatiguée. Fatiguée de tout cette merde !

– Vous êtes descendues à quel hôtel ? m'a demandé Webb.

On pourrait peut-être prendre un taxi ensemble. Je crois que papa est juste parti régler l'addition.

– Dites-lui que nous le remercions, ai-je coupé. Viens, Coco, on y va.

65

Webb

Papa faisait une tête pas possible, quand il est revenu à la table.

— Oh là là ! Tu as été malade ? ai-je demandé.

— Non. Où sont...

— Elles sont parties. Daisy m'a chargé de te remercier.

Je n'ai pas précisé sur quel ton elle l'avait dit. Je n'avais pas non plus le cœur de lui révéler comment j'avais bousillé ses chances auprès de cette femme qui semblait beaucoup lui plaire.

J'étais pratiquement sûr que ça s'était passé comme ça : quand Coco et moi faisions semblant d'échanger nos e-mails — comme si CocoChi@com n'était pas déjà gravé dans mon cerveau — Coco avait dû regarder sa mère d'un air entendu qui voulait dire : « On se tire ! »

Je savais, depuis l'école primaire, que les filles ont des codes secrets et des signaux convenus dans ce genre-là. D'un seul regard, Coco avait dû faire comprendre à sa mère : « Moi, sortir avec ce type, ça va pas la tête ? »

Bref, je ne connaissais pas la teneur du message, mais

en tout cas, elles étaient bel et bien parties. Et papa en était malade.

– Je suis désolé, j'ai dit.

– Ce n'est pas ta faute.

Bien sûr que si, c'est ma faute, ai-je eu envie de rétorquer. J'aurais voulu tout lui raconter, mais je ne pouvais pas. Ça aurait pris trop de temps et il aurait pété les plombs. Et puis de toute manière, ça n'avait plus tellement d'importance, puisque j'avais flingué le début d'histoire qu'il y avait entre lui et Daisy, que je trouvais top, d'ailleurs, comme sa fille. Coco était encore plus jolie qu'à Paris. Et plus marrante, aussi. Une fois passé le premier choc de nous retrouver là, il me semblait que ça s'était plutôt bien passé.

Apparemment, je me trompais.

Alors, en résumé, non seulement j'avais raté mon coup avec Coco, mais j'avais aussi fait foirer le coup de papa avec la mère de Coco.

Quel boulet !

66

Coco

– *Ma-man*, ai-je répété pour la dixième fois dans le taxi qui nous ramenait à l'hôtel. Qu'est-ce que j'ai fait ? Dis-moi ce que j'ai fait de mal. Je serais curieuse de le savoir.

– Cesse de tout ramener à *toi* ! a-t-elle maugréé, en regardant fixement par la vitre de sa portière. Tu as peut-être du mal à l'admettre, mais c'est une réalité : tu n'es pas le centre du monde.

D'accord. Elle était manifestement furieuse contre moi parce que j'avais fait du rentre-dedans à Webb. Ça crevait les yeux. D'un côté, j'avais envie de lui raconter toute cette histoire absurde, pour qu'elle sache que je le connaissais *avant*, et qu'au restaurant, on plaisantait, lui et moi. Mais d'un autre côté, je ne me sentais pas le courage d'affronter sa colère quand elle saurait *comment* je l'avais connu.

Le reste du trajet jusqu'à l'hôtel s'est fait en silence.

– Webb t'a dit que leur avion pour Chicago partait de Paris à 17 heures, c'est bien ça ? m'a demandé maman, dans le hall de l'hôtel.

– Ouais, je crois. Pourquoi ?

– Il faut que je change quelque chose.

Elle est allée tout droit à la réception pour voir si nous ne pouvions pas partir sur un autre vol.

– Maman, ai-je dit le plus calmement possible. Tu n'as pas l'impression de dramatiser un peu ?

– Non, a-t-elle répliqué en regardant droit devant elle. On n'a plus rien à faire ici.

– Tu as raison, vas-y, pique ta crise juste parce que ce pauvre mec n'a pas d'e-mail. Désolée de te dire ça, mais question ordinateur, on ne peut pas dire que tu sois une lumière, toi non plus. Tu ne sais toujours pas envoyer des SMS à toute vitesse. Et je t'ai vue écrire des e-mails en majuscules, ce qui est considéré comme très *impoli*.

Maman s'est tournée vers moi. La tache de vin, sur son chemisier, faisait comme une blessure par balles.

– *Impoli* ? a-t-elle répété. Tu as le culot de *me* faire la leçon parce que je suis soi-disant impolie ?

– Mais oui, ai-je commencé, c'est parce que...

– Monte dans la chambre. Disparais de ma vue.

67

Andrew

Si seulement je lui avais parlé de ce petit mot au bar, après la soirée inaugurale ! Si seulement je n'avais jamais écrit ce foutu message ! Et si seulement je n'étais pas un goujat de première !

Voilà les pensées qui se bousculaient dans ma tête quand je suis rentré à l'hôtel.

– On retourne à Madrid ? a demandé Webb qui était couché mais ne dormait pas.

– Non. Nous ne sommes qu'à une heure de Paris, maintenant. J'ai réservé un vol tôt demain matin. De là, on a un avion pour Saint Louis.

– Super, a commenté Webb. On va revoir Coco et Daisy. Elles prennent le même vol pour Chicago.

– Ah bon ?

– Ouais. On en a parlé avec Coco. Tu n'as pas entendu ?

Je n'avais plus rien entendu, après que Daisy m'avait donné le mot à lire. Je ne pourrais plus jamais la regarder en face. Pas avant d'avoir pu lui expliquer pourquoi j'avais refusé de lui donner mon adresse e-mail, ce qui supposait de dire la vérité sur ce foutu billet doux, le summum de l'humiliation.

Si je tenais autant à elle que je voulais bien le penser, il fallait que je prenne le risque d'avoir l'air d'un imbécile. Mais je ne pouvais pas. Ce courage-là, celui que j'avais tant vanté à Webb, je ne l'avais pas moi-même.

J'ai modifié les horaires de nos vols avec mon BlackBerry.

– Dors un peu, ai-je conseillé à Webb, après avoir réservé nos sièges dans l'avion qui partait de Paris à 12 h 15. Demain, on a une longue journée.

68

Daisy

Quand je suis revenue dans la chambre, Coco faisait ostensiblement la tête, et je m'en fichais. J'aurais dû la laisser chez mes parents et prendre des vacances toute seule.

À présent, après avoir eu à supporter pendant une semaine son humeur en dents de scie, je savais que j'allais retrouver en rentrant ces incontournables questions : pourquoi avais-je quitté Bon Soir et où allais-je retrouver du travail ?

J'étais sûre qu'une demi-douzaine de propositions m'attendaient : de restaurants que je connaissais mais aussi de nouveaux établissements. J'avais mes adeptes. Certains restaurateurs me savaient capable de rendre leur affaire florissante.

Ou alors, je pouvais choisir de devenir chef privée chez un couple richissime aimant recevoir dans sa villa de la Gold Coast. Ou proposer des déjeuners au Harpo Studios et monter un petit business dans le foyer des acteurs. Le service traiteur pour les célébrités devenait quasiment une industrie artisanale à Chicago.

« Le monde t'appartient, Rockefeller, m'avait dit Solange, à l'exposition. Tu n'as qu'à décider ce que tu veux faire et tu y arriveras. »

« Que veut Daisy Sprinkle ? » Cet article avait gâché mes vacances.

Qu'est-ce que je voulais, au fait ? Je voulais arrêter de craquer pour des abrutis comme Andrew. Je voulais me débarrasser de ma pitoyable habitude de m'emballer comme une gamine qui a le trac pour son bal de promo.

Nancy pensait que je devais continuer ma thérapie. Moi, j'étais persuadée qu'un peu de vacances résoudrait tout. Nous avions tort toutes les deux.

En réalité, j'avais besoin de travailler. C'était dans le travail que j'étais le plus heureuse. Quand je ne travaillais pas, je baissais la garde. Et voilà le résultat : Andrew.

Je bouillais encore de rage et d'indignation, et, en plus, je sentais un mal de tête sournois s'installer derrière mon front. J'ai pensé appeler Solange pour tout lui raconter. Mais elle allait me plaindre et ce n'était pas le moment qu'on me prenne en pitié.

Le plus mortifiant était de prendre conscience que j'avais mis trop d'espoir en Andrew. Ça devait être à cause du décalage horaire. J'avais perdu le contrôle de moi-même, pendant quelques jours. L'eau, en Europe, devait contenir une substance qui mettait ma méfiance en veilleuse. Ça m'était déjà arrivé pendant ma formation à l'école de cuisine, et cette fois encore avec Andrew. Je savais que j'allais retomber sur mes pieds. Mais quand même. Je les maudissais lui et ses arguments bidon. « Désolé, je ne peux pas vous donner mon e-mail. » Quelle que pût être la femme avec laquelle il partageait sa vie, je la plaignais. Non. J'étais jalouse. Non, j'avais pitié d'elle. La malheureuse. La pauvre idiote. La nunuche qui ignorait que son homme en draguait une autre.

J'ai revu la tête qu'il faisait en lisant le mot de mon admirateur secret. Il était blême. Pâle comme un fantôme.

Là, j'ai eu un doute : Andrew s'imaginait-il que j'avais, d'une manière ou d'une autre, encouragé ce sale type à m'écrire un message ? Me prenait-il pour une allumeuse ? Une femme légère ?

Ils sont gonflés, ces hommes ! J'ai pris deux cachets contre le mal de tête et je me suis couchée.

Ma seule consolation, c'était qu'on ne se croiserait plus. Le réceptionniste avait changé nos réservations de Paris à Chicago : nous ne prenions plus l'avion de 17 heures mais celui de 12 h 15.

American**Airlines**
BOARDING PASS
ANDREW R. NELSON
FROM:
Paris - CDG
TO:
Chicago - ORD
FLIGHT
41
DEPARTS
12:15PM
DATE CLASS
APRIL23
SEAT
23B
ARRIVES
2:24PM

Jour 7 : samedi

American**Airlines**
BOARDING PASS
DAISY M. SPRINKLE
FROM:
Paris - CDG
TO:
Chicago - ORD
FLIGHT
41
DEPARTS
12:15PM
DATE CLASS
APRIL23 P
SEAT
10B
ARRIVES
2:24PM

Solange,

Tu es un ange de nous avoir prêté ton appartement.
Plein de choses à te raconter quand tu viendras à Chicago.
XXOO Daisy et Coco

American**Airlines**
BOARDING PASS
WEBB G. NELSON
FROM:
Paris - CDG
TO:
Chicago - ORD
FLIGHT
41
DEPARTS
12:15PM
DATE CLASS
APRIL23
SEAT
23A
ARRIVES
2:24PM

American**Airlines**
BOARDING PASS
COCO L. SPRINKLE
FROM:
Paris - CDG
TO:
Chicago - ORD
FLIGHT
41
DEPARTS
12:15PM
DATE CLASS
APRIL23 P
SEAT
10A
ARRIVES
2:24PM

69

Webb

Quand je me suis réveillé, papa appelait le service d'étage pour commander un café.

– Tu ne veux pas voir ton amie ? lui ai-je demandé. Elle doit être en bas en train de prendre le petit déjeuner.

– Moi, ça va, a-t-il dit d'un ton sinistre. Mais vas-y toi, il faut que tu manges un peu. On va bientôt partir pour l'aéroport.

– Tu vas pas rester dans la chambre, quand même ? ai-je demandé.

Mais il ne m'a pas répondu.

Je me suis habillé et je suis descendu. En entrant dans la salle à manger, j'ai vu la mère de Coco assise à une table, près de la fenêtre. Prenant mon courage à deux mains, je suis allé vers elle.

– Bonjour.

– Webb, a-t-elle répondu en posant son journal et en souriant.

Puis aussitôt elle a froncé les sourcils.

– Ton père est là ?

– Non, il est là-haut.

– Ah.

Elle s'est détendue.

Il fallait que je me dépêche d'inventer quelque chose.

– Papa m'a chargé de vous dire : « Il n'y a pas de quoi. »

– Comment ça ?

– Vous vous souvenez que vous m'avez demandé de le remercier, hier soir ? pour le dîner ? C'est ce que j'ai fait, et il a dit : « Il n'y a pas de quoi. »

– Ah, a-t-elle répété. Mais en baissant les yeux, cette fois.

C'était mort. J'avais bel et bien fichu en l'air le plan de papa. Coco avait fait comprendre à sa mère, dans leur langage codé, que j'étais un abruti. Donc, par ricochet, celui qui m'avait élevé était forcément un abruti, lui aussi.

– Vous avez déjà déjeuné ? m'a demandé Daisy. Il y a un choix de viennoiseries extraordinaire.

J'ai regardé dans la direction qu'indiquait son index.

– Merci. C'est vrai que ça a l'air bon.

Je suis allé jusqu'au buffet et j'ai pris deux croissants que j'ai posés sur une serviette. Je me suis retourné pour jeter un coup d'œil à Daisy. Elle lisait son journal.

Le message était clair. Je suis parti.

70

Coco

Le lendemain matin, maman était d'une humeur tellement exécrable que j'ai pris mon croissant pour aller le
manger dans le centre d'affaires, où j'ai pu écrire enfin
ce qui me trottait dans la tête depuis que j'avais vu Webb
au restaurant.

De : CocoChi@com
À : Webbn@com
Objet : Bon, alors...

Cher Webb,
J'en suis encore à essayer de comprendre ce qui s'est
passé – pas seulement à Paris, mais ici, à Barcelone.
J'aimerais bien pouvoir en rire, mais je n'y arrive pas : j'ai
été tellement vache, avec toi ! Tu as fait tout ce voyage
en train de Madrid à Paris pour venir me voir, et moi, j'ai
passé mon temps à te crier dessus ! Si je te dis pourquoi,
tu me promets de ne pas rigoler ? (Il faut que je t'imagine en train de promettre.) Bon, alors, voici ce qui s'est
passé : avant qu'on parte pour Paris, ma mère (je n'en

reviens toujours pas que tu l'aies rencontrée) a réussi à me convaincre d'emporter mes sous-vêtements les plus usés, les plus avachis, les plus moches, quoi. Des trucs que je ne mets jamais et que je n'aurais jamais dû acheter. Par exemple ce soutien-gorge rembourré rose qui a pratiquement sauté de mon sac, quand tu l'as ouvert. Je crois que j'ai dû porter ce truc une fois, pour rigoler. Deux fois, peut-être. Disons trois fois maximum. Et je ne l'ai acheté que parce que des filles de ma classe trouvaient que ce serait marrant de...

La porte de la salle multimédia s'est ouverte.
– Salut, Coco, a dit Webb. Tu veux un croissant ?
– Webb ! ai-je crié.
D'un seul clic, j'ai effacé l'e-mail.

71

Andrew

Quand je suis descendu régler la note à la réception, je
me suis retrouvé juste derrière Daisy. J'ai pensé lui demander si elle ne voulait pas qu'on prenne un seul taxi pour
aller à l'aéroport. Mais à quoi bon ? Pour avoir l'occasion
de lui bousiller encore un chemisier ? J'avais été tellement
nul dans cette histoire que je n'avais même plus le courage
d'être courtois.

Pourtant, je n'ai pas pu détacher mes yeux de cette
femme, quand Webb et moi attendions notre taxi devant
l'hôtel. Elle portait la même veste noire que dans l'avion,
à l'aller, avec un tee-shirt, cette fois. Sans doute emprunté
à Coco.

J'ai essayé de leur sourire quand elles sont montées dans
un taxi. *Je ne la reverrai jamais*, me disais-je. *Jamais, jamais.*

Évidemment, une heure et demie plus tard, je l'ai revue
à bord de l'avion. Lorsque Webb et moi sommes passés
devant elle et Coco, en remontant l'allée pour gagner nos
sièges, c'est tout juste si j'ai eu le courage de les regarder
en face, tellement je trouvais ça humiliant.

Pendant le décollage, j'ai fermé les yeux. L'expo avait été

un succès. C'était le but de ce voyage en Espagne. Ça, plus mettre à profit les vacances de printemps de Webb pour passer du temps avec lui.

J'ai rouvert les yeux pour regarder mon fils. Assis sur la même rangée que moi, de l'autre côté de l'allée, il regardait droit devant lui, il était *dans sa bulle* comme il disait.

J'ai repensé à cette soirée au bar de l'hôtel, quand Daisy et moi parlions de nos enfants. C'était si rare que des parents échangent leurs impressions avec autant de sincérité. Mais pourquoi lui avoir raconté toute l'histoire de ma sœur ? Je la connaissais à peine et pourtant je m'étais tout de suite senti sur la même longueur d'ondes qu'elle. Forte et pleine d'assurance, elle était en même temps chaleureuse et attentionnée. Je me suis demandé si je n'avais pas été trop loin en posant la main sur son genou, au restaurant. Pourtant, à en juger par l'expression de son visage, elle n'avait pas été choquée.

Mais ce visage était loin, maintenant, et il ne referait jamais surface devant moi. Cette femme avait banni la sauce de steak – un condiment ! –, cette femme était partie en guerre contre les écrans de télévision dans les bars. Justement, je l'admirais, entre autres, parce qu'elle ne supportait pas les imbéciles.

J'aurais donné n'importe quoi pour ne pas en être un, moi, un imbécile.

72

Daisy

Si absurde et grotesque qu'ait pu être cette situation, je n'ai pas eu une minute pour y réfléchir dans le vol entre Barcelone et Paris. Une fois à Paris, il fallait passer prendre le sac de voyage de Coco et le reste de mes affaires chez Solange puis retourner à l'aéroport, le tout en deux heures chrono.

– Dépêchez-vous, s'il vous plaît, ai-je dit plusieurs fois au chauffeur de taxi.

– Je ne comprends pas, répondait-il à chaque fois avec un accent inidentifiable à couper au couteau.

– Je vous demande de faire vite, s'il vous plaît, ai-je répété.

– J'essaie, j'essaie, a-t-il aboyé. Mais Cinco por Cinco. C'est l'horreur*.

Alors seulement, j'ai remarqué les manifestants défilant au milieu de la rue, avec leurs pancartes en forme de main. Ils bloquaient carrément la circulation. Je me suis souvenue de l'article qu'Andrew m'avait lu au téléphone, à propos des extrémistes amish qui faisaient un régime de flocons d'avoine crus à l'eau.

Ils n'ont peut-être pas tort, me suis-je dit. J'avais mangé des croissants au beurre toute la semaine et j'en mesurais l'effet sur mes hanches.

Quand nous sommes enfin arrivées chez Solange, j'ai donné un billet de cinquante euros au chauffeur de taxi en lui demandant de nous attendre dix minutes. Coco et moi sommes montées en vitesse dans l'appartement. Pendant qu'elle rassemblait ses affaires, j'ai rangé un peu, essuyé le plan de travail de la cuisine, récuré l'évier, changé les draps. J'ai griffonné un mot que j'ai laissé sur le bureau de Solange.

Solange,
Tu es un ange de nous avoir prêté ton appartement.
Plein de choses à te raconter quand tu viendras à Chicago.
XXOO Daisy et Coco

J'ai eu la bonne surprise de voir que le taxi n'était pas parti. En revanche, le chauffeur ne s'est pas donné la peine de nous aider à charger les bagages. Mais au moins il a attendu que Coco et moi ayons fourré nos sacs dans son coffre sale et pris place sur la banquette arrière.

Lorsque enfin nous avons été installées dans l'avion pour Chicago, j'étais trop exténuée. Je n'ai même pas réagi quand j'ai vu Andrew et Webb embarquer. J'ai simplement souri à Webb et ignoré son crétin de père.

Éjecté.

L'avion était bondé et bruyant. Le personnel de bord pressait un peu les passagers qui lambinaient.

310

– L'avion ne peut partir que si tout le monde est assis, rappelait une hôtesse. C'était une femme aux traits tirés, de mon âge à peu près, qui semblait en avoir marre de la vie. Ou peut-être marre de son boulot. Marre des gens. Marre de voyager. Même le foulard noué autour de son cou paraissait démotivé.

Dès que tous les passagers ont été assis, le pilote a fait une annonce, du cockpit.

– Mesdames, messieurs, ici votre commandant de bord. Je vous informe que nous avons reçu l'ordre de différer notre départ pour des raisons qui ne sont pas d'ordre technique.

Je n'ai pas pu m'empêcher de gémir.

– Puis-je vous offrir quelque chose à boire, en attendant ? m'a demandé d'un ton morne l'hôtesse au bout du rouleau. Café, jus de fruits, eau minérale...

– Je vais prendre deux petites bouteilles de cabernet, s'il vous plaît, ai-je répondu.

Puis, par pure amabilité, j'ai ajouté :

– Donnez-m'en trois, comme ça je ne vous demanderai plus rien jusqu'à l'atterrissage.

Elle m'a passé les bouteilles d'une main molle, sans même me regarder. Je me suis tournée vers Coco pour lui demander ce qu'elle voulait boire, mais elle avait les yeux fermés. Elle n'avait pas dit un mot de la matinée et restait dans son mutisme. J'ai mis ça sur le compte de son inconstance chronique. Et puis tout à coup, ça m'est revenu : *c'est le soir du bal de promo.*

Pauvre petite. Pourquoi étais-je si sévère avec elle ? Ses copines et elle avaient échangé des e-mails toute la semaine à propos des multiples petits drames qui entouraient cette soirée. (Coco s'imaginait-elle que j'ignorais où elle allait, chaque fois qu'elle prétendait descendre à la pâtisserie du coin ?) Et pourtant, elle refusait d'admettre que tout ça la tracassait. Mais peut-être que non, après tout. J'espérais que non.

Pourtant, elle se serait tellement amusée si elle s'était mise sur son trente et un pour aller à un rendez-vous – un *vrai* rendez-vous galant, avec un charmant garçon comme Webb ! J'avais trouvé très mignonne sa façon un peu gauche de s'approcher de ma table, dans la salle du petit déjeuner. J'appréciais le fait qu'il ait su respecter ma solitude, même si je lui avais fait comprendre d'un regard que ça ne me dérangeait nullement qu'il vienne manger son croissant à ma table. (« Tu vois, avais-je tenté de lui dire d'un regard, je suis en train de lire le journal. Je ne vais pas te manger ! ») Un gentil garçon. Ce n'était pas sa faute si son père était un crétin.

Tout à coup dans les haut-parleurs, une annonce du pilote : « On nous apprend que notre départ est reporté jusqu'à nouvel ordre. Je vous demande de rester assis à votre place. Toutefois, vous pouvez utiliser les téléphones portables tout le temps que nous serons retenus au sol. »

Je me suis souvenue que j'avais le téléphone de Solange. Je l'ai sorti de mon sac à main posé à mes pieds. Quand je l'ai allumé, l'icône représentant une enveloppe fermée m'a indiqué que j'avais un message. J'ai cliqué dessus.

De : Solange@com
À : Daisy@com
Objet : Je vais bien
Daisy, je vais bien. Je t'appelle bientôt. Andrew = fait pour toi.

312

J'ai tâtonné avant de trouver la touche répondre.

De : Daisy@com
À : Solange@com
Objet : Re : Je vais bien
Non, il n'est pas fait pour moi, mais ce n'est pas grave.
C'est même mieux ainsi, en fait.
Tout va très bien.

Je suis restée les yeux fixés sur les mots. *Très bien.*

Mon cerveau fatigué les a transformés en un titre d'article de journal : « Daisy Sprinkle va très bien. Merci. »

Un tissu d'imbécillités, comme aurait dit Coco. Avec justesse.

Mes yeux me picotaient. J'aurais voulu que cet avion se décide enfin à décoller pour m'emporter loin de ce maudit continent.

J'allais remettre le portable dans mon sac, quand je suis tombée, encore une fois, sur le mot de Mr. 13C, *C* comme Crétin.

Je l'ai relu. Puis, les yeux brûlants de larmes j'ai répondu à Lineman@com.

Je crois que c'était la première fois de ma vie que j'écrivais quelque chose d'aussi vrai.

73

Webb

– Oh non, j'y crois pas !

Huit flics équipés d'armes automatiques venaient de monter dans l'avion.

Je me suis tourné vers papa :

– C'est quoi ce bordel ?

– Aucune idée.

Pendant un bon moment, on ne savait pas du tout ce qui se passait, à part le fait que ça devait être grave. Et puis enfin, il y a eu une annonce.

« C'est votre commandant de bord, au micro. Nous avons reçu l'ordre de maintenir l'appareil au sol, le temps de mettre en vigueur les mesures de sécurité. »

J'ai regardé papa.

– Ne t'inquiète pas, a-t-il dit, je suis sûr que ce n'est rien.

Il ne savait pas mentir.

Un des flics a commencé à nous donner des instructions en français, en anglais puis en espagnol.

– Tous les téléphones portables et autres appareils mobiles doivent être éteints, pendant tout le temps que nous procédons à cette fouille, a-t-il annoncé, en avançant vers le fond de l'avion. N'ayez pas peur des chiens. Ils connaissent leur métier.

Deux chiens de police hyperactifs ont été lâchés à l'avant de l'appareil. Ils ont remonté les allées, en s'arrêtant à chaque rangée, pour flairer entre les sièges.

– Ils cherchent quoi, à ton avis ? ai-je demandé à papa.

– De la drogue, je suppose.

Moi, ça m'avait l'air plus sérieux qu'un simple coup de filet antidrogue.

– On devrait descendre, non ? ai-je lancé, paniqué. On peut prendre l'avion demain.

– Ils ne nous laisseront plus descendre, maintenant, a répondu papa. Ne t'affole pas. Ça ne doit pas être bien grave.

Les chiens, arrivés maintenant à notre hauteur, reniflaient frénétiquement, comme des fourmiliers affamés.

– Tous les portables, BlackBerry, iPhone et tablettes doivent être éteints, a rappelé le flic.

J'ai regardé papa, puis son BlackBerry.

Il a fait un signe de tête :

– Il est éteint.

Une seconde équipe de chiens avait commencé à fouiller l'autre côté de l'avion.

– Je ne sais pas ce qu'ils cherchent, ai-je commenté, mais ils n'ont pas l'air de trouver.

L'avion était en effervescence. Même les hôtesses et les stewards avaient l'air perturbés. J'ai décelé une pointe d'angoisse dans la voix du pilote, quand il a fait une nouvelle annonce.

« Ici votre commandant de bord. La police vient de me

signaler qu'il y avait eu plusieurs incidents terroristes en Europe, aujourd'hui. »

Les cris incrédules et angoissés ont rendu inaudible la suite de l'annonce.

– Chut ! a lâché une hôtesse, un doigt sur la bouche. Gardez votre calme. Écoutez !

« Des résidus de matériel explosif ont été détectés dans un bagage enregistré pour ce vol, a poursuivi le commandant de bord. Le sac n'étant pas étiqueté, la police va devoir interroger certains passagers de ce vol. »

74

Coco

Oh, merde.

Il y avait des flics partout.

– Votre attention, a dit leur chef en anglais, mais avec un accent français. Il jouait le dur de dur, mais il parlait dans un petit micro ridicule. Celui de mon vieux karaoké avait un meilleur son que son machin.

– J'ai des raisons d'avoir peur ? ai-je demandé à maman.

– Non. Ils vont trouver ce qu'ils cherchent et ça s'arrêtera là.

Le dur de dur se débattait avec son minimicro.

– Nous ne pouvons protéger les passagers de cet avion que s'ils coopèrent totalement. Je vous demande de garder votre calme afin de ne pas entraver nos recherches.

Au même moment, un flic plus jeune est monté à bord. Il avait des gants et portait une poubelle grise en plastique contenant un sac.

Un sac de voyage noir de chez L.L. Bean.

Oh, non. Non. Non.

Le lieutenant Dur-de-dur a montré le sac du doigt :

– À qui appartient ce bagage ? Je vais demander à son propriétaire de venir jusqu'ici.

Personne n'a bougé. Moi non plus. J'étais paralysée.

– À qui est ce bagage ? a répété Dur-de-dur, d'un ton plus ferme.

Il a fait signe au jeune flic d'ouvrir le sac de voyage, puis, il y a plongé une main, non sans avoir enfilé des gants. Et le premier truc qu'il en a sorti, je vous le donne en mille : mon horrible soutien-gorge rose rembourré.

– Ce... cette chose... appartient à une femme, peut-être ? a demandé le lieutenant Dur-de-dur en brandissant mon soutien-gorge bien haut pour que tout le monde le voie. Ou à un homme.

Maman m'a regardée, incrédule.

– Coco, ce n'est pas ton...

Et en une fraction de seconde, j'ai fondu en larmes.

– Maman, fais quelque chose, je t'en prie. C'est mort pour ma mention au bac.

Je sanglotais. À travers mes larmes, tout m'apparaissait gondolé et brillant. Maman s'est levée brusquement.

– Excusez-moi, a-t-elle dit en levant la main. Bonjour ! Ce soutien-gorge appartient à ma fille. C'est son sac. Je pensais qu'il était étiqueté. Maman s'est tournée vers moi :

– Tu n'avais pas mis ton nom dessus ?

– Il est dans la poche latérale, ai-je gémi.

– Ah, bon, a lancé maman.

Après s'être éclairci la voix, elle s'est adressée directement à Dur-de-dur.

– En tous les cas, je peux vous assurer que...

318

D'un claquement de doigts, celui-ci a attiré l'attention de ses subalternes sur maman et moi.

– Surveillez-les, leur a-t-il ordonné. Ce sont peut-être des terroristes.

– Des *terroristes* ? a répété maman.

– En fait..., ai-je lancé.

Mais le regard noir que venait de me jeter maman m'a fait bafouiller.

– Enfin, non, pas en fait, mais euh... Ce que je veux dire, c'est que c'est une erreur.

– Il n'y a pas d'erreur, a répliqué le lieutenant. Nous avons trouvé des résidus de bombe dans votre sac. Alors maintenant, vous allez tranquillement nous suivre, sinon nous vous emmènerons de force.

– Attendez !

Webb accourait de l'arrière de l'avion.

– Arrêtez ! Arrêtez !* a hurlé Dur-de-dur.

– Webb, il t'ordonne de t'*arrêter*, ai-je crié.

Mais Webb courait toujours. Dur-de-dur a dégainé son revolver.

– Webb, stop ! ai-je hurlé.

– Mais je vais tout vous expliquer, a-t-il dit. Je vous en prie !

– Qu'est-ce que vous voulez expliquer ? lui a demandé Dur-de-dur.

Webb a respiré un grand coup et s'est mis à parler à toute vitesse.

– J'ai mis des cierges magiques dans le sac de Coco. Regardez tout au fond.

Le chef de brigade a arraché mon sac des mains du jeune

flic et a entrepris de le fouiller. Effectivement, quelques secondes plus tard, il en sortait cinq cierges magiques.

– Je les ai achetés à Madrid, dans la rue, a expliqué Webb. Je me disais que ce serait sympa d'en allumer un pour notre premier baiser, à Paris.

– Premier baiser ? a articulé maman. À *Paris* ?

Elle s'est tournée vers l'officier de police.

– Il veut dire à Barcelone. Nous avons dîné ensemble hier soir à Barcelone et...

Webb continuait à parler.

– Et si on avait fait autre chose, eh ben, je crois que ç'aurait été cool d'allumer un autre cierge magique juste après.

– *Autre chose* ? ai-je demandé en reniflant. Comme quoi ?

– Je sais pas, a répondu Webb, le plus calmement du monde. On n'a jamais pu passer à autre chose, puisque tu me prenais pour un imbécile.

– C'était *moi* l'imbécile, ai-je murmuré. J'étais complètement flippée. Toi, tu étais super.

– C'est vrai ? Tu me trouvais super ? Parce que moi aussi je te trouvais super.

– Tu parles sérieusement ? me suis-je étonnée à mon tour.

Dur-de-dur s'est éclairci la voix.

– Apparemment quelqu'un a trouvé que quelqu'un était suffisamment super pour utiliser ceci, a-t-il lancé, en sortant une boîte de préservatifs du fond de mon sac.

– Coco ! a glapi maman.

– Oh, c'est encore moi qui ai mis ça dans son sac, a expliqué Webb. Au cas où.

Il m'a souri.

Mon héros.

Le lieutenant a fait une grimace. Il fourrageait toujours dans mon sac.

– Et le fromage ?

– Le fromage ? me suis-je étonnée.

– Oui. Il y a une odeur de fromage fermenté dans ce sac.

J'ai regardé Webb.

– Ça, je ne sais pas ce que c'est, a-t-il dit en haussant les épaules.

Un des jeunes flics s'est approché de Dur-de-dur pour lui chuchoter quelque chose à l'oreille. Le lieutenant s'est retourné et a réprimandé en français un autre flic qui a sorti une photo de sa poche. Il l'a donnée à Dur-de-dur qui l'a mise à côté du visage de Webb.

– *Sacrebleu*, a crié l'officier de police, c'est lui ! C'est le leader de Cinco por Cinco ! Arrêtez-le !

Et sur ce, il a passé les menottes à Webb et l'a fait descendre de l'avion.

75

Andrew

Oh, bon Dieu ! pensais-je en suivant Webb vers l'avant de l'avion. Si seulement il avait arrêté de parler une minute pour me laisser le temps d'appeler mon avocat.

Mais à présent, on nous faisait entrer dans le poste de police de l'aéroport.

– C'est une erreur, ai-je dit au lieutenant qui avait un accent français prononcé.

– Erreur*, a traduit Daisy, d'une voix tremblotante. On les avait fait descendre de l'avion toutes les deux en même temps que Webb.

– Dites-nous au moins ce qui se passe, a demandé Webb, qui paraissait plus calme que Daisy et moi. J'ai le droit de savoir de quoi on m'accuse.

– Il y a eu de multiples menaces terroristes et une importante explosion aujourd'hui, a expliqué l'officier de police. Tout a été revendiqué par un groupe d'extrémistes amish qui s'appelle Cinco por Cinco.

– Cinco por Cinco, a dit Daisy en me regardant. Ce n'est pas le groupe qui manifestait devant le musée ? Les gens qui croient qu'Internet est un instrument de Satan ?

– C'est exactement ça, ai-je confirmé.

Puis j'ai raconté au lieutenant ce dont nous avions été témoins le soir de l'inauguration.

Il a écouté avec attention, puis a répondu froidement :

– Une explosion a détruit le Palais de Cristal il y a deux heures.

Daisy a crié :

– Solange ! Il faut qu'on appelle Solange !

– Vous aurez tout le temps de passer vos coups de fil après, a répliqué l'officier de police. Pour l'instant, nous sommes ici pour savoir quel rôle ce jeune homme a joué dans l'attaque terroriste.

Il regardait fixement Webb.

– Mes collègues enquêtent sur vous depuis jeudi, le jour où vous avez tenté de recruter des jeunes gens pour Cinco por Cinco, à Madrid.

– Recruter ? a dit Webb. Mais de quoi vous me parlez ?

– Sur le Paseo del Prado, a précisé le lieutenant. À 2 h 30 mardi matin.

– Vous avez des preuves ? a demandé Webb.

– Webb, ai-je prévenu. Ne parle pas. Laisse-moi appeler...

Mais l'officier de police avait sorti des photos qu'il étalait devant Webb.

– Vous voulez des preuves ? En voilà.

Webb examinait les photos, lorsqu'une lueur d'illumination est passée sur son visage.

– Ah, ça ? J'étais en train d'acheter des cierges magiques à ces types. Ils essayaient de m'arnaquer. Je voulais cinq cierges pour cinq euros. Cinco por cinco.

– Il est hors de question de poursuivre cette conversation, ai-je annoncé en haussant la voix pour la première fois. J'exige la présence d'un avocat.

– Il n'y a pas de problème, papa, a dit Webb. Je maîtrise, ne t'inquiète pas.

Le policier a continué.

« Après vous avoir identifié, nous avons commencé à interroger des gens qui vous connaissent, à *San Luis*, Missouri.

J'ai prié pour que Webb n'éclate pas de rire en entendant la façon dont le policier avait prononcé le nom de notre ville. Il ne l'a pas fait. À ma grande surprise, il écoutait attentivement le lieutenant de police et le regardait droit dans les yeux.

– Nous avons parlé avec plusieurs de vos professeurs. Ils nous ont dit que vous ne conduisiez pas.

– Je préfère les transports en commun, a rétorqué Webb. Et notre professeur de conduite est un obsédé sexuel. Celui de Coco aussi était un pervers, si vous voulez le savoir.

L'officier a continué.

– Et d'après Mlle Fogerty, vous êtes un admirateur de Henry David Thoreau, un anarchiste américain que le mouvement Cinco por Cinco érige en héros, parce qu'il avait renoncé à la technologie et à la civilisation moderne.

– Vous avez parlé à miss Fogerty ?

Webb était stupéfait.

C'est alors que Coco s'en est mêlée.

– Mais enfin, c'est incroyable, ça ! Il peut très bien admirer les œuvres de Thoreau sans être un terroriste.

– Merci Coco, a dit Webb.

– Normal, a-t-elle souri.

Puis s'adressant directement au policier :

– Si vous connaissiez un peu Webb, vous sauriez qu'il n'est pas du tout antitechnologie. Il utilise constamment Internet.

Le lieutenant s'est fendu d'un sourire.

– C'est assez typique des extrémistes : pour le bien de leur cause, ils sont souvent capables de s'intéresser à des choses qu'ils haïssent.

– Parlez-moi de cette explosion que j'aurais provoquée, a exigé Webb.

Oh, bon Dieu. C'était comme s'il admettait être coupable. Ça m'a rappelé la scène au commissariat de police après que Laura avait reconnu avoir joué un rôle dans le casse de la banque. C'était exactement pareil : un sentiment d'horreur mêlé à la prise de conscience que la personne que l'on aime le plus au monde peut aussi être celle que l'on connaît le moins.

– Webb, l'ai-je supplié. Tais-toi.

– Non, papa, c'est hors de question, en levant une main pour m'arrêter, en même temps qu'il pressait le policier de continuer. Dites-moi ce que j'ai fait et comment je m'y suis pris. Je serais curieux de le savoir.

– L'équipe chargée de l'enquête a conclu que l'engin explosif de base qui a détruit le Palais de Cristal avait été mis en place le soir de l'inauguration, a répondu l'enquêteur.

Webb a poussé un grand soupir de soulagement.

– Eh bien, j'en suis désolé. Mais vous, vous serez encore plus désolé d'apprendre que je n'étais pas là, ce soir-là.

– Nom de Dieu, Webb, ai-je sifflé entre mes dents. Arrête de raconter n'importe quoi. C'est grave ce qui se passe, là.

– Papa, je ne plaisante pas. Je n'y étais pas. J'étais à Paris.

– Avec moi, a renchéri Coco. Et je peux le prouver !

Elle a sorti un appareil photo numérique de son sac et l'a tourné vers nous pour nous montrer les photos.

– Vous voyez ? Ici, on est dans un cybercafé. La date et l'heure sont indiquées sur la photo. Et là, on est avec Glen Campbell.

– Glen Campbell ? s'est étonnée Daisy.

– Oui, enfin, c'est juste sa photo sur YouTube, a expliqué Coco. Et là, il y a encore quelques photos de nous.

Elle a tendu l'appareil au policier.

– Ah oui, et il faut que vous sachiez aussi que Webb et moi on a fait l'échange de nos sacs. Mais on a quand même droit aux cinq cents dollars de la compagnie aérienne. On les a bien mérités.

– Coco, je t'en prie, a dit Daisy, gênée. Ça n'a aucun rapport.

L'officier de police n'écoutait pas. Il était trop occupé à examiner les clichés qu'il faisait défiler sur l'appareil photo de Coco. Ensuite il s'est tourné vers moi.

– Mais vous avez bien dit que votre fils était avec vous mardi soir à Madrid.

– C'est ce que je croyais, ai-je admis, mi-soulagé, mi-embarrassé. Il m'a envoyé des e-mails toute la nuit, en me disant combien il appréciait l'exposition.

– Papa, je suis désolé, a dit Webb, avant d'expliquer comment il avait programmé son compte e-mail de façon à m'envoyer des messages pour que je ne soupçonne pas qu'il était parti.

À la fin de l'enquête, je ne savais pas qui était le plus perplexe, moi ou le lieutenant de police. Il nous a finalement relâchés après plus de quatre heures d'interrogatoire, et après l'arrestation à Madrid du vrai leader de Cinco por Cinco.

– Il faut qu'on appelle Solange, a dit Daisy.

Nous marchions tous les quatre, dans l'aérogare, avec nos bagages. J'ai rallumé mon BlackBerry. Il y avait deux nouveaux messages.

De : Solange@com
À : Lineman@com
Objet : OK
Juste au cas où tu aurais ce message avant qu'on ne se parle, je vais bien. Je buvais un café sur la Plaza Mayor avec Maria Luciana au moment de l'explosion. Quand je pense que j'ai failli proposer à ces abrutis une exposition de patchworks ! Le Palais de Cristal a disparu. L'exposition a été pulvérisée. Mais heureusement, il n'y a eu ni morts ni blessés graves. J'essaie de joindre la police. L'électricien dit que le traiteur (tu te souviens ? il avait prétendu que son père était mort ?) faisait partie du Cinco por Cinco et qu'il avait embauché des « serveurs » qui en étaient membres également. Il les avait chargés de verser plusieurs sacs de flocons d'avoine dans les cuvettes des toilettes. Ça a bouché les canalisations et provoqué une explosion de gaz dans les égouts – avec une odeur épouvantable, si tu vois ce que je veux dire.

Je crois que dorénavant, il va falloir que je vérifie les antécédents des gens que j'emploie... Bref, je suis en route pour Paris, à l'heure qu'il est. On s'appelle. Si tu vois Daisy, dis-lui que je vais bien. Je n'arrive pas à la joindre sur le portable.

Je me suis souvenu des problèmes qu'il y avait eus avec les toilettes. Je pensais que quelqu'un avait versé du ciment liquide dedans. C'étaient donc des flocons d'avoine? D'où le terrorisme « mis en œuvre avec des moyens technologiques de base ».

J'ai envoyé un message rapide à Solange. (« Dieu merci tu vas bien. À très vite au téléphone. ») Ensuite j'ai ouvert le second message. Je l'ai lu en retenant mon souffle.

De : DaisyS@com
À : Lineman@com
Objet : Pourquoi vous êtes un crétin (suite)
Jusqu'à présent je n'ai pas trouvé le temps – et peut-être n'étais-je pas non plus d'humeur à le faire – de répondre au message que vous avez glissé dans mon sac à main. Mais j'ai un instant à y consacrer maintenant et je veux vous raconter quelque chose. Je veux vous parler d'un petit ami que j'avais quand j'étais étudiante. Avant les vacances d'été, nous nous étions promis de nous écrire. Je vivais à Chicago, lui à Rhode Island. Il m'a écrit une fois début juin. Moi, j'ai dû lui envoyer une vingtaine de lettres. Et j'ai continué à écrire, en attendant qu'il me réponde. Ou me téléphone. À la fac, nous nous étions mis d'accord pour nous téléphoner en raccrochant

au bout d'une sonnerie – parce que, fauchés l'un comme l'autre, nous ne pouvions pas payer des appels longue distance et que la compagnie de téléphone ne vous fait pas payer quand votre interlocuteur ne décroche pas. Mais il ne m'a jamais appelée. Jamais. Même pas une sonnerie. Comment je le sais ? Parce que je suis restée plantée tout l'été à côté de ce maudit téléphone. Quand je suis retournée à la fac, à l'automne, j'ai découvert qu'à la mi-juin il s'était mis en ménage avec une de ses ex pour « faire des économies ». Autrement dit, pendant tout l'été, j'avais appelé – en raccrochant chaque fois au bout d'une sonnerie – sur la ligne de quelqu'un d'autre. Pire encore : j'avais espéré que quelqu'un, loin là-bas, pensait à moi, quelqu'un qui avait plus besoin de moi qu'envie de moi (je fais allusion à une chanson de Jimmy Webb, mais peu importe, vous ne pouvez pas comprendre). Ce que je veux dire, c'est que j'étais folle, complètement folle, de ce type. Et j'ai juré que ça ne m'arriverait plus jamais. Résultat : pendant des décennies, je suis sortie avec des hommes dont je n'avais pas spécialement envie, ni besoin, ou parfois des hommes pour qui je n'avais aucune amitié. Mais récemment, j'en ai rencontré un qui avait tout pour lui : il était gentil, il était beau, il avait une bonne situation et pas mal de conversation. En plus, je crois que je lui plaisais. (Ce qui est une qualité admirable, chez un homme.) Et je vous jure que je me sentais vibrer chaque fois qu'il me téléphonait. Il était drôle. C'était manifestement un bon père. Et un frère hors pair. Et, tenez-vous bien, j'ai découvert hier soir qu'il avait quelqu'un d'autre. Et voilà ! J'étais tombée dans le même piège que quand j'avais vingt ans. D'accord, je suis partiellement responsable. Peut-être avais-je baissé la garde. Peut-être le décalage horaire y était-il aussi pour quelque chose. Le fait que vous ayez pu glisser un mot dans mon sac sans que je m'en aperçoive prouve bien que ces derniers temps, j'étais devenue moins prudente. Donc, je veux bien admettre que c'est un peu ma faute. Mais c'est à cause de types comme lui, et vous et Chuck, qui séduisent une femme alors qu'ils ont DÉJÀ quelqu'un dans leur vie – ou dans l'avion avec eux – que je tombe dans ce satané piège. Vous comprenez ? Suis-je assez claire ? Un imbécile de journaliste a écrit un article sur moi intitulé « Que veut Daisy Sprinkle ? ». Vous voulez que je vous dise ce que je veux ? Je veux cesser de vouloir ce que je ne peux pas avoir. Je veux cesser de craquer pour des crétins dont je n'ai pas besoin. Et je ne veux plus me sentir en miettes, comme ce put... de gâteau que quelqu'un a laissé sous la pluie, ce qui est encore une référence à Jimmy Webb que vous ne pouvez pas comprendre, espèce d'imbécile égocentré, minable don Juan de classe touriste.

76

Daisy

Oh, c'est pas possible !

– Comment avez-vous eu mon... ai-je balbutié quand Andrew m'a montré l'écran de son BlackBerry.

Et tout à coup, ô stupeur, j'ai compris.

– C'est *vous* qui aviez mis ce mot dans mon sac ?

Il a baissé la tête, tout en souriant pour confirmer.

Tandis que mon cerveau digérait cette nouvelle, une bouffée de chaleur infernale envahissait mon corps : je me sentais tellement confuse. Andrew et moi marchions derrière Coco et Webb qui avaient apparemment beaucoup de choses à se dire, maintenant qu'ils nous avaient tout expliqué.

– Et la personne avec qui vous voyagiez, c'était... Webb ? ai-je demandé.

– Oui. Et, au fait, Solange va bien. Elle pense que c'est le traiteur qui est à l'origine de l'explosion.

– Le type qui l'a lâchée au dernier moment ?

– Exactement. C'est pour ça qu'elle vous a demandé de venir l'aider, vous vous rappelez ? *Kismet.*

– *Kismet*, ai-je répété à voix basse.

J'avais comme un poids au creux de l'estomac : la lourdeur de la honte. Je ne voyais que deux solutions. Un : me suicider. Deux : changer de sujet.

– Alors, qu'est-ce que ça nous fait de savoir que nos enfants sont les rois de la cavale ? ai-je demandé d'un ton badin.

– Je ne sais pas, a répondu Andrew. Je devrais être fou de rage contre Webb, vu ce qu'il a fait. Mais, à vrai dire, je n'ai jamais été aussi fier de lui. Quand je pense à l'énergie qu'il a mise en œuvre pour retrouver Coco à Paris, je suis impressionné. Et puis, je n'imaginais pas votre fille aussi téméraire.

– Moi non plus, ai-je reconnu, toujours un peu tourneboulée. Et je croyais Webb d'un naturel indolent.

– Qu'est-ce que j'en sais, au fond ? a commenté Andrew. Je ne suis que son père.

J'ai souri.

– Mais tous les mensonges qu'il vous a racontés, ça ne vous dérange pas ?

– Si, un peu. Mais c'était sûrement le prix à payer pour ses autres exploits. À propos de prix, Coco a parlé de cinq cents dollars que doit rembourser la compagnie aérienne. Qu'est-ce que c'est que cette histoire ?

– Oh, des menteries, là encore.

J'ai raconté à Andrew le mensonge que j'avais servi à Coco. Parmi les résolutions que je venais de prendre – à l'instant même – il y avait celle d'être plus honnête avec moi-même et avec mon entourage.

– J'ai estimé que ça valait le coup de dépenser cinq cents dollars pour qu'elle change d'attitude, ai-je avoué.

J'avais trop peur que son humeur de chien ne me gâche mes vacances.

– Et pourquoi était-elle d'une humeur... de chien ?

– C'est l'âge. Ce n'est pas facile d'avoir dix-huit ans. En plus, le bal de sa promo a lieu ce week-end. Ce soir, d'ailleurs.

– Vous pensez que je dois le dire à Webb ? Pour qu'il lui achète des fleurs ? De toute façon, on n'a aucune chance d'avoir un autre vol d'ici à demain matin. Ils pourraient passer la soirée ensemble.

J'ai regardé Coco qui marchait à côté de Webb. Il venait de dire quelque chose de drôle, sans doute, et elle riait aux éclats.

– J'ai l'impression qu'ils s'en sortent très bien sans nous, ai-je fait remarquer. Et puis, les rendez-vous amoureux, c'est passé de mode, vous savez bien. Mais à propos...

– Et vous ? Vous voulez aller au bal, ce soir ? a demandé Andrew.

– Non, ai-je dit avec un sourire forcé. Je n'accepte pas ce genre de rendez-vous, en tout cas pas avec des hommes que j'aime bien.

– Pourquoi ?

– Parce que je suis nulle pour ça.

– Ça, c'est plutôt à moi d'en juger. Le rendez-vous le plus réussi de ma vie, je l'ai vécu il y a quelques soirs, avec vous.

– *C'est vrai ?*

– Daisy, vous êtes la personne la plus adorable que j'aie jamais rencontrée.

– Non, c'est faux. J'ai un sale caractère. Je critique tout et tout le monde. Je suis soupe au lait. Franchement, j'ai souvent du mal à me supporter moi-même.

333

– Vous êtes trop sévère avec vous-même.

– Vous voulez dire avec les autres ?

– Eh bien, moi qui ai, paraît-il, « pas mal de conversation », je crains de ne pas être à la hauteur de celle-ci.

– Oh, mon Dieu, ai-je lâché, en me cachant le visage d'une main.

Nous avons fait quelques pas en silence, jusqu'au moment où Andrew s'est mis à commenter le passage central de mon message.

– Je savais que ce petit ami que vous aviez à la fac n'était pas un type bien. J'en étais sûr.

J'ai répondu par un rire nerveux.

– Je parle sérieusement, a-t-il repris. Qui serait capable de vous téléphoner en laissant sonner une seule fois ? Et si vous aviez répondu, il vous aurait raccroché au nez ?

– Vous oubliez que l'idée venait de moi, ai-je rétorqué. Et qu'il n'a jamais appelé.

– La question n'est pas là. Un homme qui accepte un pareil plan n'est pas un type bien.

Il a gardé le silence un instant, avant de reprendre, d'une voix plus douce :

– Pourquoi ne m'avez-vous pas raconté ce qui s'est vraiment passé, cet été-là ?

– Je ne m'en suis souvenue qu'hier soir. Toute l'histoire m'est revenue au restaurant quand vous... enfin vous savez.

J'ai essayé de sourire.

– Je vous ai dit que je souffrais d'un Alzheimer relationnel.

– Oui, oui. Et moi, est-ce que je vous ai dit que je n'étais

334

pas un type capable de téléphoner en raccrochant après la première sonnerie ?

– Non, je ne crois pas.

– Eh bien pourtant, c'est vrai. Et il y a autre chose.

Il s'est arrêté et m'a regardée bien en face.

– Vous vous souvenez que je vous ai téléphoné chez Solange ? Combien de fois ? Trois ou quatre fois ?

– Cinq.

– Bon. Et est-ce que vous savez qu'à chaque fois, quand le moment était venu de raccrocher, j'avais un mal fou à le faire ? Je restais en ligne je ne sais combien de temps après avoir coupé.

– *C'est vrai* ?

– À chaque fois.

– Vous étiez encore sur la ligne, comme le Lignard du Wichita ?

Il a eu l'air stupéfait.

– C'est donc ça, le sens de la chanson ? Il a soupiré.

– Si c'est ça, alors oui, je suis comme le Lignard. La seule différence, c'est que j'ai autant envie de vous que besoin de vous.

Je lui ai donné un grand coup de coude.

– Ce qui est sûr, c'est que vous êtes un beau parleur, monsieur Lineman. Je parie que vous dites ça à toutes les femmes.

Il a secoué la tête.

– Je n'ai jamais dit ça à personne.

Une heure plus tard, nous montions tous les quatre dans un taxi, direction Montmartre. Solange, toute retournée encore, défaisait ses valises.

– Vous passez la nuit ici ? a-t-elle proposé en nous embrassant les uns après les autres. C'est petit chez moi, mais...

– Non, c'est parfait ! a renchéri Coco. Ce sera comme une soirée pyjama.

– Exactement, a dit Solange. Bon, aidez-moi à déplacer les meubles. J'ai un sac de couchage derrière mon canapé.

Andrew et moi avons échangé un regard et un sourire. Nous avions déjà des « private jokes ». Tout ça était arrivé si vite !

C'était quoi, d'ailleurs, *ça* ?

Le désir d'être désiré par quelqu'un que l'on désire. J'ai repensé, une fois encore, à ce vieux jésuite, dans la chapelle glacée.

Nous sommes donc restés chez Solange. J'avais posé comme condition que l'on m'autorise à préparer le dîner. J'ai envoyé Coco et Webb chez l'épicier du coin, avec une liste. Pendant ce temps, Andrew et moi avons pu tout raconter à Solange. Elle applaudissait encore quand les enfants sont revenus avec les courses et des fleurs pour tout le monde.

J'ai préparé une cocotte de thon traditionnelle, cent pour cent prénumérique, que j'ai modernisée en y ajoutant un peu de camembert. (Webb l'a discrètement laissé sur le bord de son assiette sans faire de commentaire.) Après le dîner, Coco a appris à Webb à faire la crème brûlée. Ils ont mis une jolie pagaille, mais le résultat était parfait.

À la réflexion, c'est une assez bonne description de ce voyage. Les enfants ont mis une jolie pagaille, mais c'était vraiment parfait. En effet, j'ai compris ce soir-là que j'avais exactement ce dont j'avais envie et besoin : une fille merveilleuse et originale que je ne comprenais pas toujours et qui, manifestement, ne m'obéissait pas toujours. Mais elle serait tout à fait à son aise à l'université et surtout dans la vie.

J'avais une amie généreuse que je connaissais depuis vingt ans qui me comprenait mieux que je ne me comprenais moi-même.

J'avais un nouvel ami : un homme gentil comme tout, qui avait un grand cœur et un fils adorable.

Et c'est ainsi que, tous les cinq, *cinco por cinco*, nous avons passé la soirée à rire et à discuter. Personne n'a envoyé d'e-mails ou de textos. Personne n'a éprouvé le besoin d'aller sur le Net. Pas de sauce à steak sur la table. Pas de télévision ou autres écrans plats en vue.

À un moment, bien après minuit, Solange a envoyé Andrew soi-disant chercher du vin. Mais de toute évidence, elle voulait me parler entre quatre yeux, dans le séjour, pendant que Coco et Webb faisaient la vaisselle en chantant *MacArthur Park*.

– C'est un designer, il conçoit des mises en espace, m'a chuchoté Solange. Alors il faut lui en laisser, de l'espace. Tu crois que tu en seras capable ?

– Bien sûr, ai-je répondu tout bas, quoiqu'un peu sur la défensive. Mais Solange, rien ne presse. Andrew et moi, nous venons à peine de nous rencontrer. Et de toute façon, moi aussi j'ai besoin d'espace.

– Je sais. Mais toi, tu en as toujours eu.

Solange m'a dévisagée intensément. Cette femme m'avait connue quand j'étais enceinte de Coco. Elle m'avait aidée à prendre la décision la plus difficile et la plus importante de ma vie. J'étais certaine qu'elle allait de nouveau me dire d'arrêter de fumer, d'arrêter de boire et d'arrêter de m'apitoyer sur mon sort.

À ce moment précis, son téléphone a sonné.

– Rah, qu'il aille au diable, ce machin ! a maugréé Solange.

Elle a attrapé le téléphone et l'a fait passer dans la cuisine.

– Coco, tu veux bien répondre ? Prends un message.

– Pas de problème, a dit Coco.

Solange s'est de nouveau concentrée sur moi. Je savais parfaitement ce qu'elle allait me dire, alors j'ai pris les devants.

– J'ai arrêté de fumer il y a vingt ans, ai-je dit en fermant les yeux. Et je ne bois jamais plus de deux verres de vin.

– Hum, hum, a fait Solange d'un air narquois, en prenant une bouteille de vin vide dans chaque main.

– D'accord, *presque* jamais, ai-je admis. Je t'assure que c'est vrai. Quand ça m'arrive, j'ai la tête comme une calebasse, le lendemain matin. Quant à m'apitoyer sur moi-même, je ne l'ai jamais fait et même si ça m'arrivait...

– Hé, maman ! a crié Coco de la cuisine.

– Une seconde, ma chérie.

– Mais, *ma-man*, a insisté Coco.

Solange a posé la bouteille sur la table et m'a pris le visage à deux mains.

– Zut, à la fin, Daisy. Je t'entends, à travers le vin que tu as bu. Arrête de parler et réjouis-toi de ton sort. Autorise-toi à être heureuse...

– Maman, a coupé Coco en se plantant devant moi, un torchon à la main, le téléphone dans l'autre.

– C'est pour toi. C'est Andrew.

J'ai embrassé Solange. Puis j'ai pris le téléphone que me tendait ma fille, ma jolie grande fille. J'ai mis le combiné à mon oreille et j'ai dit, avec calme et assurance :

– Bonsoir.

Remerciements

Je tiens à remercier tous les gens merveilleux qui m'ont consacré de leur temps et de leurs talents, pendant que j'écrivais ce livre. Merci à Kelly Bates-Siegel et à Abby Adams de m'avoir encouragée dès la première ligne. Je suis très reconnaissante aussi à James Klise et à Tim Bryant, à qui j'ai posé cent fois la même question : « Qu'est-ce qu'un type comme Andrew penserait dans cette situation ? » Même si je n'ai pas toujours tenu compte de vos réponses, je les ai appréciées à leur juste valeur. Un énorme merci, en lettres capitales clignotantes, à Elise Howard qui m'a présenté Lucia Macro, une éditrice hors pair. Merci à Diahann Sturge pour ses lumineuses idées de mise en pages. Je suis évidemment reconnaissante à Jimmy Webb d'avoir écrit *Wichita Lineman*, qui est la plus belle chanson du monde, ni plus, ni moins. Et au type qui a glissé un mot dans mon sac à main lors du long vol de Saint Louis à Atlanta : qui que vous soyez, où que vous soyez, merci d'avoir planté la graine qui a donné ce livre.

D'autres livres

Albin Michel

Jodi Lynn ANDERSON, *Peau de pêche*

Jodi Lynn ANDERSON, *Secrets de pêche*

Jodi Lynn ANDERSON, *Un amour de pêche*

Judy BLUNDELL, *Double jeu*

Candace BUSHNELL, *Le Journal de Carrie*

Candace BUSHNELL, *Summer and the City*

Meg CABOT, *Irrésistible ! L'intégrale*

Meg CABOT, *Ready to rock !*

Elizabeth CRAFT et Sarah FAIN, *Comme des sœurs*

Elizabeth CRAFT et Sarah FAIN, *Amies pour la vie*

Cath CROWLEY, *Graffiti Moon*

Melissa DE LA CRUZ, *Un été pour tout changer*

Melissa DE LA CRUZ, *Fabuleux bains de minuit*

Melissa DE LA CRUZ, *Une saison en bikini*

Melissa DE LA CRUZ, *Glamour toujours*

Francisco DE PAULA FERNÁNDEZ, *Dis-moi que tu m'aimes*

Francisco DE PAULA FERNÁNDEZ, *Prends-moi dans tes bras*

Sharon DOGAR, *Si tu m'entends*

Stephen EMOND, *Entre toi et moi*

Norma FOX MAZER, *Le Courage du papillon*

Gregory GALLOWAY, *La Disparition d'Anastasia Cayne*

Anna GODBERSEN, *Tout ce qui brille*

Anna GODBERSEN, *Une saison à Long Island*

Anna GODBERSEN, *Un baiser pour la nuit*

Jenny HAN, *L'Été où je suis devenue jolie*

www.wiz.fr
Logo Wiz : Laurent Besson

Composition : Nord Compo
Impression Normandie roto Impression s.a.s en mars 2014
Éditions Albin Michel
22, rue Huyghens 75014 Paris

ISBN : 978-2-226-25556-3
ISSN : 1637-0236
N° d'édition : 20493/01 N° d'impression : 1400906
Dépôt légal : avril 2014
Loi n° 49-956 du 16 juillet 1949 sur les publications destinées à la jeunesse.
Imprimé en France.